Hernandes Dias Lopes

JONAS
Um homem que preferiu morrer a obedecer a Deus

© 2007 por Hernandes Dias Lopes

1ª edição: fevereiro de 2008
12ª reimpressão: julho de 2021

REVISÃO
João Guimarães

ADAPTAÇÃO GRÁFICA
Sandra Oliveira

CAPA
Atis Design

EDITOR
Aldo Menezes

COORDENADOR DE PRODUÇÃO
Mauro Terrengui

IMPRESSÃO E ACABAMENTO
Imprensa da Fé

As opiniões, as interpretações e os conceitos emitidos nesta obra são de responsabilidade dos autores e não refletem necessariamente o ponto de vista da Hagnos.

Todos os direitos desta edição reservados à
EDITORA HAGNOS LTDA.
Av. Jacinto Júlio, 27
04815-160 — São Paulo, SP
Tel.: (11) 5668-5668

E-mail: hagnos@hagnos.com.br
Home page: www.hagnos.com.br

Editora associada à:

Dados Internacionais de Catalogação na Publicação (CIP)
Câmara Brasileira do Livro, SP, Brasil

Lopes, Hernandes Dias

  Jonas: um homem que preferiu morrer a obedecer a Deus / Hernandes Dias Lopes — São Paulo: Hagnos, 2008. (Comentários Expositivos Hagnos).

  ISBN 978- 85-7742-021-6

  1. Bíblia A.T. Jonas - Crítica e interpretação 2. Profeta I. Título

07-10128   CDD 224.9206

Índices para catálogo sistemático:
1. Jonas: livros proféticos: Bíblia: Interpretação e crítica 224.9206

Dedicatória

DEDICO ESTE LIVRO ao meu precioso irmão em Cristo, presbítero Daniel Sacramento, companheiro de jornada, fiel servo do Altíssimo, amigo do peito, homem segundo o coração de Deus.

Sumário

Prefácio 7

1. **O homem, seu tempo e sua mensagem** 11
   (Jn 1.1)

2. **Um homem na rota de fuga** 35
   (Jn 1.1-3)

3. **Jonas, um homem encurralado por Deus** 57
   (Jn 1.4-17)

4. **O desespero humano e o livramento divino** 73
   (Jn 2.1-10)

5. **O invencível propósito de Deus na vida do pregador e de seus ouvintes** 89
   (Jn 3.1-10)

6. **Jonas, um homem em crise com Deus** 107
   (Jn 4.1-11)

Prefácio

Recebi com surpresa, porém, com muita alegria e satisfação o convite para prefaciar este livro, que se soma a uma série de Comentários Expositivos escritos pelo Rev. Hernandes Dias Lopes. O estudo do livro de Jonas nos leva a uma profunda reflexão a respeito de missões transculturais. Este livro pode ser considerado o maior livro missiológico do Antigo Testamento. O amor de Deus se dirige a todas as nações e não apenas a Israel. Ao nos depararmos com a exposição do livro de Jonas, embora escrito muitos séculos atrás, mas sempre atual, por ser a eterna Palavra de Deus, vemos que em muitos aspectos somos parecidos com o profeta Jonas. Temos também dificuldades de atender ao chamado de Deus para sermos luz para as nações. O evangelho é não um tesouro para ser guardado apenas para nós, mas para ser compartilhado com todos os povos, em todos os lugares, em todos os tempos.

O Rev. Hernandes dispensa qualquer apresentação, pois é muito conhecido em nosso país, porém não poderia deixar de falar daquilo que tenho visto neste servo de Deus. Embora mais novo que ele, conheci Rev. Hernandes, ainda quando ele era solteiro, vindo de Bragança Paulista (cidade onde pastoreou a primeira igreja de seu ministério), para pastorear nossa igreja (a Primeira Igreja Presbiteriana de Vitória-IPB), e desde aquela época fiquei impressionado com a seriedade e a disciplina deste jovem ao conduzir sua vida e ministério. Ainda hoje é assim, é um homem que irradia a beleza do Senhor Jesus. Ele crê no que prega. Ele não joga meras palavras ao vento. A Palavra de Deus em sua boca é a verdade. Ele ama a Cristo e também as pessoas que estão ao seu redor. É um pastor simpático, amigo, e humilde. Ele tem coração de servo. Ele é um pastor comprometido com Deus e extremamente zeloso e dedicado à igreja de Deus. Quem convive de perto com este servo de Deus, percebe o quanto seu coração busca uma igreja comprometida com a Obra de Deus e com o Deus da Obra.

Com sua maneira expositiva de ensinar as Escrituras, neste livro o Rev. Hernandes nos estimula a examinar a Palavra de Deus à luz da própria Palavra. Ele consegue traduzir, iluminado pelo Espírito Santo, em ações práticas o texto bíblico tornando-o de fácil compreensão e aplicação em nossa vida diária.

Que Deus preserve este santo homem e dê a ele a oportunidade de ver o trabalho de sua mente e mãos sendo

Prefácio

usados pelo nosso Senhor para edificação de muitas vidas e que no futuro, outros do quilate do Rev. Hernandes se levantem para continuar a obra do Senhor.

Recomendo com tranqüilidade a leitura deste livro, por que o que nele está escrito é fruto de uma vida iluminada pelo Espírito Santo e certamente edificará a vida de seus leitores.

Fábio Borges Coutinho
Presbítero da Primeira Igreja
Presbiteriana de Vitória-IPB

Capítulo 1

O homem, seu tempo e sua mensagem
(Jn 1.1)

JONAS FOI O MAIS ESTRANHO de todos os profetas. Sua mensagem produziu efeitos até naqueles que não o ouviram diretamente. No entanto, nenhum pregador foi tão bem-sucedido. Nem mesmo Jesus, pois muitos se opuseram à sua pregação. No hebraico, o sermão de Jonas se compunha de apenas cinco palavras, nada mais. Contudo, o sermão produzia muito impacto. E que impacto![1]

Page Kelley chega a afirmar que Jonas fez todo o possível para que a sua missão fracassasse. Jonas tinha um espírito indignado, um preparo insatisfatório, um sermão medíocre. Resultado: um sucesso tremendo! A maioria dos pregadores trabalha duramente para obter bons resultados; Jonas trabalhou duramente para não ter bons resultados, mas ele teve sucesso, apesar da sua atitude.[2] Jonas foi o único pregador da História que ficou frustrado com o seu sucesso.

Alguns estudiosos, dando rédeas à imaginação, fazem do grande peixe que engoliu Jonas o centro deste livro. Todavia, o peixe não é a personagem principal do livro, nem mesmo Jonas. A personagem principal é Deus. Deus é o Senhor não apenas de Israel, mas da natureza, da História e de todas as nações. Sua vontade se cumpre, sempre, no final. Os homens não podem criar-Lhe obstáculos nem frustrá-Lo. Sua graça é para todo o mundo.[3] O peixe só é citado duas vezes no livro enquanto Deus é quem ordena a Jonas ir a Nínive. Deus é quem envia uma tempestade atrás de Jonas. Deus é quem envia o peixe para engolir Jonas e depois vomitá-lo. Deus é quem novamente comissiona Jonas a pregar em Nínive. Deus é quem perdoa os habitantes de Nínive e exorta o profeta emburrado.

Nessa mesma linha de pensamento, Vincent Mora afirma: "Este peixe, que foi obsessão para a imaginação judia e cristã, não é o centro da narrativa. Não passa do instrumento providencial que traz Jonas de volta a seu ponto de partida".[4]

Vamos destacar alguns pontos na introdução deste precioso livro.

O autor do livro de Jonas

Os teólogos liberais afirmam que Jonas é o último dos livros proféticos do Antigo Testamento, escrito no século terceiro a.C., por um autor anônimo. Para esses teólogos Jonas é uma novela religiosa com o propósito de ensinar lições morais e espirituais, mas sem qualquer traço de historicidade.[5] Os liberais não crêem que Jonas existiu como um personagem histórico.

Sem se preocupar com o que os liberais poderiam pensar e escrever, a Bíblia relata que Jonas era profeta, filho de Amitai (1.1) e morava na cidade de Gate-Hefer, na tribo de Zebulom, no norte de Israel, a sete quilômetros de Nazaré (2Rs 14.25). Jonas era galileu e contemporâneo dos profetas Amós e Oséias.

O nome *Jonas,* "Yonah" no hebraico, significa "pomba". Mas a vida de Jonas nega o seu nome. Como disse Dionísio Pape "gavião teria sido mais apropriado".[6] Longe de ser um homem pacífico, Jonas está em guerra com Deus e com as pessoas. É um pregador que deseja ver a morte e a destruição dos seus ouvintes e não a salvação deles. Isaltino Filho afirma que Jonas demonstra em seu temperamento um homem emburrado, sem misericórdia, e mal-relacionado com Deus.[7]

Jonas profetizou a prosperidade do Reino do Norte no reinado de Jeroboão II (793-753). Naquele tempo os ricos ficaram muito ricos às custas do empobrecimento da maioria da população israelita (2Rs 15.20). Paradoxalmente, esse foi um tempo de grande expansão militar (2Rs 14.25,28). É bem provável que Jonas nesse período tenha se tornado um profeta ideologizado. Ele tinha consciência, por exemplo, de que nos seus dias a grande ameaça para Israel era a Assíria, cuja capital era Nínive (2Rs 15.19). Esse é o pano de fundo que revela o sentimento de Jonas e as suas motivações para fugir da missão divina em vez de cumpri-la. Conforme Jerónimo Pott disse, Jonas deseja ver a total destruição de Nínive, a capital da Assíria, e não a sua salvação.[8] George Robinson relata que sendo Jonas um nacionalista extremado, mesquinho, vingativo, não queria entender por que Deus desejava que ele pregasse a um povo que queria devorar Israel.⁹

O tempo em que o profeta Jonas viveu

Alguns teólogos liberais rejeitam o relato de Jonas ter profetizado no oitavo século antes de Cristo. Eles posicionam Jonas bem mais tarde, como um personagem que profetizou no terceiro século. Buscando evidências no livro para ampararem suas teses, esquecem que o texto bíblico (2Rs 14.25) circunscreve o ministério de Jonas em determinado tempo, ou seja, o oitavo século a.C.

O nome do profeta Jonas só é citado no Antigo Testamento fora do seu livro apenas uma vez. Esse relato está em 2Reis 14.23-25, como segue:

> No décimo quinto ano de Amazias, filho de Joás, rei de Judá, começou a reinar em Samaria Jeroboão, filho de Jeoás, rei de Israel; e reinou quarenta e um anos. Fez o que era mau perante o Senhor; jamais se apartou de nenhum dos pecados de Jeroboão, filho de Nebate, que fez pecar a Israel. Restabeleceu ele os limites de Israel, desde a entrada de Hamate até ao mar da Planície, segundo a palavra do Senhor, Deus de Israel, a qual falara por intermédio de seu servo *Jonas*, filho de Amitai, o profeta, o qual era de Gate-Hefer (Grifo do autor).

Jonas profetizou durante o reinado de Jeroboão II, quando esse monarca ilustre governou em Samaria durante 41 anos, num tempo de prosperidade financeira, conquistas militares e paz nas fronteiras. Gleason Archer diz que Jonas deve ter começado o seu ministério profético antes do reinado de Jeroboão II ou pelo menos antes desse brilhante rei ter conseguido alguns dos seus triunfos militares mais marcantes.¹⁰ Nessa mesma época a nação também se entregou à opressão econômica, aos desmandos legais, ao descalabro moral e à apostasia religiosa. Foi nesse tempo que Amós denunciou a ganância insaciável dos poderosos, a mancomunação dos juízes com os ricos para oprimirem os pobres, a corrupção dos valores morais e o desaparecimento da piedade em virtude de uma religião sem ortodoxia e sem vida.

Um livro sob ataque

O livro de Jonas, semelhantemente ao de Gênesis, é o livro da Bíblia mais atacado pelos teólogos liberais. Esses estudiosos, do alto de sua pretensa sapiência, negam a historicidade do livro ou tentam colocá-lo no período pós-exílico. Desmond Alexander, entretanto, afirma: "Não há motivo algum por que a data da composição do livro de Jonas deva estar na era pós-exílica".[11]

J. Vernon McGee acrescenta que é possível que Jonas seja o livro mais criticado da Bíblia.[12] Charles Feinberg, nessa mesma trilha de pensamento, afirma que a descrença tem atacado esse livro talvez mais do que outro. Jonas tem sido alvo de humor irrefletido e zombaria imerecida.[13] Os críticos têm tentado desacreditar sua inspiração. Os teólogos liberais arvoraram-se como juízes da verdade e assacam as mais ferinas críticas contra esse texto bíblico. Alguns chegam até mesmo a chamar o livro de Jonas de "o calcanhar-de-aquiles da Bíblia".[14]

A razão principal para a rejeição do livro é que esses arautos da incredulidade não aceitam a historicidade dos milagres. Se os milagres não existem, logo, Jonas não existiu e sua profecia não deve ser considerada um fato histórico. Charles Feinberg comenta:

> A zombaria tem-se concentrado especialmente em torno do fato de Jonas ter sido engolido pelo peixe e sobrevivido. A raiz da

dificuldade é a negação do miraculoso. Se, porém, excluirmos o miraculoso da Bíblia, o que nos restará? E mais importante, que tipo de Deus nos sobra? Trata-se de nada menos do que incredulidade míope pensar que se soluciona a dificuldade com a remoção desse milagre do livro de Jonas.[15]

Na verdade, o livro inteiro está cheio de milagres e não apenas o fato de Jonas ter sido engolido por um grande peixe e ter sobrevivido. Foi Deus quem enviou uma tempestade atrás de Jonas. Foi Deus quem acalmou o mar quando Jonas foi lançado para fora do navio. Foi Deus quem deu ordem a um peixe e este engoliu Jonas. Foi Deus quem preservou Jonas três dias no ventre do peixe. Foi Deus quem deu ordens ao peixe para vomitar Jonas. Foi Deus quem produziu o quebrantamento no povo ninivita e ao mesmo tempo quem lhe ofereceu graça e misericórdia. Foi Deus quem fez brotar uma planta para trazer sombra e alento ao profeta e também foi Deus quem fez a planta secar. Se tirarmos os milagres da Bíblia, ela deixa de ser a Palavra de Deus!

Fato digno de nota são os registros oficiais do almirantado britânico que fornecem evidências documentadas sobre a espantosa aventura de James Bartley, um marinheiro britânico que foi engolido por uma baleia e escapou com vida para contar a história. Muitos médicos de vários países vieram examiná-lo. James viveu mais dezoito anos depois dessa experiência. Na lápide de seu túmulo foi escrito um breve relato de sua experiência, com o acréscimo: "James Bartley, um moderno Jonas".[16] Essas informações, segundo Champlin, foram extraídas do livro *Stranger than science*, escrito por Frank Edwards, p. 11-13.

Alguns críticos rejeitam a veracidade e a historicidade do livro de Jonas dizendo que é apenas uma lenda ou uma parábola. Todavia, o nome do profeta Jonas está vinculado a um fato histórico comprovado (2Rs 14.25). Se Jonas é um personagem mitológico, então, Jeroboão II também o é. Porém, assim como Jeroboão II foi uma pessoa real, Israel foi uma nação real, Hamate foi um local real, Jonas também foi uma pessoa real.

Mais do que isso, se Jonas não é uma personagem histórica, então, Jesus Cristo enganou-se e faltou com a verdade quando fez menção a ele como um profeta. É impossível negar a historicidade de Jonas e ao mesmo tempo afirmar a credibilidade do Senhor Jesus, diz J. Vernon McGee.[17] Nessa mesma linha de pensamento, Dionísio Pape afirma: "Para negar a historicidade de Jonas e sua experiência no ventre do peixe seria necessário negar a veracidade de Jesus como o Filho de Deus".[18] Vejamos o relato bíblico:

> Então, alguns escribas e fariseus replicaram: Mestre, queremos ver de tua parte algum sinal. Ele, porém, respondeu: Uma geração má e perversa pede um sinal; mas nenhum sinal lhe será dado, senão o do profeta Jonas. Porque assim como esteve Jonas três dias e três noites no ventre do grande peixe, assim o Filho do homem estará três dias e três noites no coração da terra (Mt 12.38-40).

Se a história de Jonas tivesse sido mera ficção, então, o sepultamento de Cristo na Sexta-feira Santa, até a ressurreição no domingo de Páscoa, também seria ficção; não havendo, portanto, qualquer base para a comparação, afirma Gleason Archer.[19]

Se Jonas não é uma personalidade histórica, então sua profecia não existiu nem os ninivitas se converteram. Agora, se tudo não passou de uma lenda, Cristo falseou a verdade e exortou sua geração sem nenhum fundamento, pois o texto bíblico é claro: "Ninivitas se levantarão no juízo com esta geração e a condenarão; porque se arrependeram com a pregação de Jonas. E eis aqui está quem é maior do que Jonas" (Mt 12.41).

Jesus foi categórico ao afirmar que Jonas foi um sinal para os ninivitas assim como Ele era um sinal para aquela geração. Se Jonas foi uma lenda, então Jesus também precisaria ser uma lenda, do contrário não existiria uma conexão real de Jonas com Jesus. Lucas relata este fato assim:

> Como afluíssem as multidões, passou Jesus a dizer: Esta é geração perversa! Pede sinal; mas nenhum sinal lhe será dado, senão o de Jonas. Porque, assim como Jonas foi sinal para os ninivitas, o Filho do homem o será para esta geração (Lc 11.29,30).

Edward Young diz que enquanto os teólogos liberais consideram o livro de Jonas apenas como uma lenda ou uma parábola e não crêem na sua historicidade, Cristo creu.[20] Quem deve merecer a nossa confiança: Cristo ou os teólogos liberais? Seja Deus verdadeiro e mentiroso todo homem!

As peculiaridades do livro de Jonas

O livro de Jonas tem algumas características peculiares:

Em primeiro lugar, *ele é mais um relato histórico do que uma profecia.* O livro é mais uma narrativa da experiência do profeta Jonas do que oráculos divinos pregados pelo profeta Jonas. Os outros profetas falam da parte de Deus ao povo em vez de contarem a experiência deles. Desmond Alexander destaca este fato nos seguintes termos:

> Há muito se observa que o livro de Jonas é notadamente diverso das outras obras que compõem os profetas menores. Enquanto elas se concentram basicamente nos dizeres dos profetas, o livro de Jonas trata dos acontecimentos em torno da

missão do profeta e contém apenas um brevíssimo registro de seus pronunciamentos.[21]

Em segundo lugar, *ele é o único profeta especificamente comissionado a pregar aos gentios.* É o grande livro missionário do Antigo Testamento, preceitua Charles Feinberg.[22] Jonas, um nacionalista zeloso, é chamado por Deus e enviado a Nínive, uma grande cidade para proclamar contra ela. Nínive, mencionada pela primeira vez em Gênesis 10.11, foi a antiga capital do império assírio. Situava-se na margem oriental do rio Tigre. Senaqueribe fê-la a capital da Assíria e os medos e persas a destruíram no ano 612 antes de Cristo. Nínive era a maior cidade do mundo daquele tempo (1.2; 3.2; 4.11).[23] Os pecados dos pagãos sobem até o céu e ofendem a Deus. Todavia, o amor de Deus pelos pagãos desce até a terra e Deus envia a eles um mensageiro para anunciar-lhes Sua Palavra. Jerônimo acrescenta que o propósito do livro de Jonas é ensinar que a providência e o cuidado de Deus não se limitam a Israel, mas se estendem também aos gentios.[24]

Em terceiro lugar, *o livro de Jonas termina com uma pergunta retórica.* Somente Jonas e Naum terminam suas profecias com uma pergunta retórica de Deus e curiosamente os dois profetas profetizaram a Nínive, capital da Assíria. A pergunta registrada em Jonas revela a misericórdia de Deus e a pergunta registrada em Naum revela a Sua justiça.

Em quarto lugar, *o livro de Jonas nos revela várias ironias.* Há muitas ironias neste livro.[25]

- Seu nome significa "pomba", mas Jonas é um ser em conflito.
- Jonas não quer orar, e cai numa reunião de oração.
- Jonas não quer pregar, mas na sua honesta negação de obediência os pagãos são salvos.

- Ele é o único que diz: "eu sei" (1.12; 4.2), mas vive de forma contrária ao seu conhecimento.
- Deus ensina a Jonas por intermédio dos pagãos, mas salva os pagãos por intermédio de Jonas.
- Enquanto Jonas mergulha no sono da indiferença, os marinheiros lutam com paixão indômita pela vida.
- Jonas está completamente emudecido diante de Deus e dos homens, e em contraste os marinheiros agradecem a Deus por Sua misericórdia.
- Enquanto Jonas deseja a morte, os marinheiros desejam a vida.
- Jonas usa a nacionalidade para fugir de Deus, enquanto Deus utiliza coisas inusitadas como o vento e o grande peixe para executarem Sua vontade.
- Jonas prega que Nínive será destruída, e Nínive é transformada. Jonas prega uma mensagem, os ninivitas entendem outra.

Em quinto lugar, *o livro de Jonas descreve o maior protótipo da morte e ressurreição de Cristo no Antigo Testamento*. A experiência vivida por Jonas três dias e três noites no ventre do grande peixe era um sinal da morte e ressurreição de Cristo (Mt 12.38-40). Assim como a experiência de Jonas abriu-lhe a porta para anunciar aos pagãos a Palavra de Deus, a morte e a ressurreição de Cristo são o alicerce da nossa redenção. O livro de Jonas nos oferece um protótipo das duas mais importantes doutrinas do cristianismo: a morte e a ressurreição de nosso Senhor Jesus Cristo.

A teologia do livro de Jonas

James Wolfendale ensina que o livro de Jonas é como um belo arco-íris de esperança enviado por Deus no meio das densas e tenebrosas nuvens do pecado e do sofrimento.[26]

Muitos escritores ao longo dos séculos se debruçaram sobre esse livro inspirado para extrair o seu propósito principal. Jerônimo, ilustre pai da Igreja, acreditava que o livro de Jonas tinha sido composto para incentivar os judeus a se arrependerem. Se marinheiros pagãos e ninivitas ímpios podiam reagir à pregação profética com arrependimento, os ouvintes judeus deveriam agir de igual modo.[27] Para Agostinho, Lutero, e muitos escritores contemporâneos, a narrativa de Jonas ressalta o interesse missionário de Deus, cujo amor e misericórdia não se limitavam aos judeus. Por intermédio de Jonas, Deus não apenas repreende os que desejam limitar Sua graça salvadora ao povo judeu, mas demonstra eficazmente Seu real interesse na salvação de pagãos ignorantes e pecadores.[28] Vamos destacar algumas das sublimes verdades desse precioso livro:

O que o livro ensina sobre a salvação
Vamos destacar dois pontos:
1. A salvação é uma dádiva oferecida a todos os povos e não apenas aos judeus. Jonas tentou fugir da presença de Deus não com medo da Sua ira, mas com medo da Sua misericórdia. Ele foi o único pregador que ficou profundamente frustrado com o seu sucesso. Ele quis morrer porque os ninivitas receberam vida. Jonas fazia do seu nacionalismo extremado uma bandeira maior do que a obra missionária. Tinha prazer de pregar condenação aos pagãos, mas não se alegrava com sua salvação.

W. J. Deane acentua o fato de que a principal lição que os judeus deveriam aprender com o livro de Jonas é que a salvação também é destinada aos gentios. Os israelitas desprezavam os gentios e os consideravam indignos. Eles os viam como combustível para o fogo do inferno. Os israelitas estavam acostumados a ver os gentios como inimigos que precisavam ser punidos por seus pecados e não como pessoas que deviam ser salvas. Outros profetas anunciaram essa verdade, mas Jonas viu diante dos seus olhos essa verdade se tornando realidade.[29] Deus, porém, mostra a Jonas que ele tem o direito de usar misericórdia com quem quer, sem precisar dar satisfação a quem quer que seja. Diz Isaltino Filho: "Não temos o *copyright* de Deus. Ele é Senhor do mundo, de todos os povos e raças".[30]

2. A salvação é uma dádiva de Deus recebida pela fé e não obtida pelas obras. Os ninivitas eram pessoas pagãs e viviam sem luz e sem santidade. Eles eram perversos, truculentos, sanguinários e idólatras. Pelas obras, eles jamais seriam salvos. Eles viviam sem esperança e sem Deus no mundo. Porém, Deus os amou e lhes enviou um mensageiro e eles se arrependeram de seus pecados e creram na mensagem e foram salvos. Ainda hoje, o método de Deus de salvar o homem é o mesmo. A salvação não é uma conquista do homem, mas um presente de Deus. A salvação não é resultado do que o homem faz para Deus, mas do que Deus fez pelo homem. A salvação não é um caminho que o homem abre da terra para o céu, mas o caminho que Deus abriu do céu para a terra. A salvação é de graça para o homem, mas custou tudo para Deus. Ela é gratuita, mas não barata. A verdade central do livro de Jonas é: "Ao Senhor pertence a salvação" (2.9).

O que o livro ensina a respeito de Deus

O propósito principal do livro de Jonas é mostrar que Deus ama as nações e sua salvação é para todos os povos. Deus é o personagem principal desse livro, pois o livro começa e termina com Ele falando. Quem é Deus?

Deus é santo e não pode tolerar o mal. Deus não tolerou a maldade dos ninivitas e enviou Jonas para adverti-los (1.2) nem aceitou a rebeldia de Jonas e enviou a tempestade para pegá-lo (1.4). Deus ouviu a oração de Jonas e o libertou do ventre do peixe; Deus ouviu o clamor dos ninivitas e lhes salvou a alma. Deus vê os pecados e vê o arrependimento. Aos convertidos, Deus perdoa e salva; aos de coração duro, Deus repreende e corrige.

O pecado sempre provoca a ira de Deus, proceda ele dos ímpios ou da igreja. Deus não é um ser bonachão nem um velho senil de barbas brancas assentado numa cadeira de balanço. Ele é um ser revestido de glória e majestade, assentado num alto e sublime trono, diante de quem até os serafins cobrem o rosto. Deus não faz acepção de pessoas em Sua misericórdia nem em Sua disciplina. Deus não tem dois pesos e duas medidas.

Deus intervém na História e ninguém pode impedir Sua mão de agir. O livro de Jonas mostra Deus em ação. Deus estava por trás dos grandes acontecimentos registrados nesse livro. Nada que sucedeu foi acidental, afirma Isaltino Filho.[31] Deus é quem chama Jonas, quem envia a tempestade atrás dele, quem faz cessar o vento após o lançamento de Jonas ao mar, quem dá ordens a um grande peixe para tragá-lo e depois de três dias vomitá-lo na praia. Deus é quem faz a planta nascer e morrer sobre a cabeça de Jonas. Deus é quem envia um verme para cortar a planta. Deus é quem abre o coração dos ninivitas e quem exorta o profeta recalcitrante. Deus é quem fala e quem age o tempo todo.

Rejeitamos o deísmo que ensina a transcendência de Deus, mas não Sua imanência; que prega a majestade de Deus, mas não Sua compaixão. Cremos, sim, no teísmo, que proclama que Deus está no trono, mas entre o Seu povo, vendo suas aflições, ouvindo seu clamor e o socorrendo em suas aflições. Deus não é um ser distante e apático. Ele vê, ouve e age!

Deus é misericordioso e salva até mesmo os nossos inimigos. Jonas fica desgostoso com Deus, não por causa da Sua ira, mas por causa da Sua misericórdia. Ele fica frustrado não com seu fracasso, mas com seu sucesso. A conversão dos ninivitas produz festa no céu e tristeza no coração de Jonas. Enquanto os anjos celebram a conversão dos ninivitas, Jonas pede para morrer. A grande verdade do livro de Jonas é que Deus se recusa a odiar os nossos inimigos. Ele salva até mesmo aqueles a quem nós queremos condenar.

O grande ensinamento do livro de Jonas é que Deus aceita também os gentios. É Deus quem toma a iniciativa de reconciliar consigo o mundo. A salvação é uma obra exclusiva de Deus. Os gentios que estavam separados da comunidade de Israel foram também chamados para fazer parte da Igreja do Deus vivo. Essa concepção só foi completamente mudada no Novo Testamento, como vemos em Atos 10.34: "Então Pedro, tomando a palavra, disse: Na verdade reconheço que Deus não faz acepção de pessoas". Deus não é propriedade apenas da Igreja; Ele é o Senhor soberano e absoluto de todo o mundo.[32]

Deus conduz os Seus planos à consumação e nenhum deles pode ser frustrado. Jonas pensou que podia ser mais sábio do que Deus. Ele tentou mudar a agenda de Deus. Ele tentou escapar de Deus e fugir para Társis, o fim do mundo. Deus o mandou ir para Nínive, que ficava à leste, no nascente do sol, mas ele foi para Társis, no oeste, no poente do sol. Jonas caminhou rumo a uma noite sombria em vez de caminhar na direção da luz.

Contudo, não se pode fugir de Deus e Seus planos são vitoriosos. Ninguém frustra os desígnios do Altíssimo. Ninguém pode esconder-se Daquele que a todos e a tudo vê. Para Ele a luz e as trevas são a mesma coisa. Ninguém pode lutar contra Deus e prevalecer. Ninguém pode cair sobre a Rocha dos séculos sem ficar esmagado. Os caminhos de Deus são perfeitos. A vontade de Deus é soberana, Seu propósito vitorioso!

Deus está no controle da História e também dos elementos da natureza. Deus governa soberanamente todo o universo. Não há um centímetro sequer deste vasto cosmos em que Deus não esteja presente fazendo cumprir Sua vontade soberana. Não apenas Nínive estava sob o olhar de Deus, mas o vento, o mar, o peixe, e as plantas. O mesmo Deus que ama os ninivitas, também levanta uma tempestade no mar e prepara um grande peixe para tragar Jonas. Vemos no livro do profeta Jonas que homens, peixes, vermes, animais e plantas estão a serviço de Deus. Ele domina sobre o mundo espiritual e o mundo material. Ele reina sobre o mundo humano, animal, e vegetal. Ele é o Deus das grandes e pequenas coisas. Ele se importa com uma grande cidade e até com os seus animais (4.11).

Deus é fiel e Sua fidelidade é maior do que a infidelidade do homem. Jonas foi infiel a Deus, desobedecendo à Sua ordem, mas Deus foi misericordioso e fiel a Jonas não o destruindo por isso, nem lhe retirando o ofício de embaixador de Sua Palavra. Em vez de destruir-nos em nossas fraquezas, Deus nos restaura. Em vez de esmagar-nos por causa dos nossos fracassos, Deus nos ensina por intermédio deles.

Mesmo quando somos infiéis, Deus permanece fiel, porque Ele não pode negar a Si mesmo. Deus nos usa apesar de nossa rebelião. A missão de Jonas jamais teria sido um sucesso se dependesse dele. Nínive converteu-se a Deus não por causa de Jonas, mas apesar de Jonas. A mensagem de Jonas foi um libelo de condenação sem qualquer fresta de esperança. O sentimento de Jonas era contrário à salvação de seus ouvintes. A motivação de Jonas não estava alinhada com a motivação de Deus de salvar os ninivitas. Contudo, apesar de tudo isso, Deus realizou o maior milagre evangelístico da História na cidade de Nínive, não por causa do evangelista, mas apesar dele.

Deus tem os ouvidos atentos para ouvir as orações. Deus ouviu as orações dos marinheiros e os poupou. Deus ouviu o clamor de Jonas nas entranhas do grande peixe e o libertou da morte. Deus ouviu o clamor dos ninivitas e os salvou. Deus ouviu até mesmo os queixumes do profeta rebelde e o repreendeu com amor.

Quando chegamos ao fim das nossas forças, Deus se manifesta abrindo-nos uma porta de esperança. Quando as circunstâncias nos encurralam e parece que a tragédia se torna inevitável, o braço onipotente de Deus nos traz livramento. Na verdade, as poderosas intervenções de Deus na História são uma resposta às orações do Seu povo. Ele jamais desampara aqueles que Nele esperam.

Deus é o Deus de todos os povos e não apenas dos judeus. Deus não é uma divindade tribal, Ele é o Senhor do universo. O Reino de Deus é maior do que a Igreja. Deus se importa com todas as nações. Seu plano é abençoar todas as famílias da terra por intermédio do Seu povo. O apóstolo Paulo coloca essa verdade bendita de forma eloqüente: "É, porventura, Deus somente dos judeus? Não o é também dos gentios? Sim, também dos gentios" (Rm 3.29).

Israel foi separado por Deus para ser luz para as nações. O projeto de Deus não era esconder Israel dos povos, mas levar a luz de Israel para outros povos. Assim também, a Igreja não deve ser retirada do mundo, mas deve ser luz no mundo.

O que o livro ensina a respeito de Jonas

Jonas presumiu que sabia resolver os problemas de Deus melhor do que o próprio Deus e assim, por causa de seus preconceitos teológicos, recusou-se a ser um missionário além-fronteiras e uma bênção para os outros.[33] Vejamos um pouco do perfil desse profeta nacionalista.

a. Jonas tem uma teologia certa e uma prática errada. Jonas respondeu aos marinheiros: "Sou hebreu e temo ao Senhor, o Deus do céu, que fez o mar e a terra" (1.9). Jonas diz que teme ao Senhor, mas desobedece a Ele. Ele professa crer na soberania de Deus, mas O desafia. Ele afirma que Deus é o Criador do céu e da terra, mas tenta fugir da Sua presença. Ele diz que teme a Deus, mas além de fugir (1.3), ainda discute com Deus (4.3,4; 4.8-11). Sua teologia está em descompasso com a prática. Ele é ortodoxo de cabeça e herege de conduta. Ele crê numa coisa e pratica outra. Há um abismo entre sua fé e sua conduta; uma separação entre sua teologia e sua vida.

Isaltino Filho diz que Jonas era um homem com credo ortodoxo e com ética mesquinha. Ele sabia como citar a Bíblia de memória, pois sua oração, no capítulo 2, está repleta de citações dos Salmos. Ele conhecia as Escrituras, mas não se importava nem um pouco com as pessoas. Sua queixa é que Deus é misericordioso. Até onde se sabe, Jonas foi a única pessoa que reclamou da bondade de Deus.[34]

b. Jonas faz a obra de Deus, mas com a motivação errada. Jonas é como o irmão mais velho do filho pródigo, obedece por obrigação e não por prazer. Sua obediência é compulsória e não voluntária. Ele prega, mas sem amor. Ele espera não a salvação, mas a condenação de seus ouvintes. Ele chora de tristeza porque os ninivitas recebem misericórdia em vez de juízo, perdão em vez de destruição. Jonas quer morrer, pois os ninivitas receberam o dom da vida eterna. Jonas tem piedade de uma planta que ele não cultivou, mas nenhuma compaixão para mais de 120 mil pessoas "[...] que não sabem discernir entre a mão direita e a mão esquerda" (4.11).

Jonas quer mudar a mente de Deus em vez de mudar a própria conduta. Ele espera que Deus se arrependa da Sua misericórdia em vez dele se arrepender de sua dureza de coração. Jonas reclama não da severidade de Deus, mas da Sua bondade. Jonas só consegue amar os seus iguais. Sua teologia é reducionista. Ele tem a mentalidade de gueto e quer lotear o céu apenas para o seu povo. Desmond Alexander disse que Deus teve compaixão de Nínive, mas destruiu a planta. Jonas, por sua vez, teve compaixão da planta, mas exigiu a destruição de Nínive. Jonas queria misericórdia para si e justiça para os seus inimigos. Porém, Deus é soberano, Sua justiça é totalmente imparcial e Sua misericórdia pode alcançar qualquer pessoa.[35]

c. Jonas quer receber bênçãos, mas não quer ser bênção. Jonas é um provocador de tempestades. Em vez de ser bênção para as pessoas, é a causa de seus problemas (1.3-5). Mais tarde, Jonas se alegra em extremo por causa de uma planta que lhe trouxe refrigério em tempo de calor (4.6). Ele já fora alvo da intervenção divina, que o arrancou das entranhas da morte, mas ele não quer ser bênção para o mundo. Jonas é um profeta nacionalista, que procura reduzir Deus a uma divindade tribal. Jonas é exclusivista. Ele quer as bênçãos apenas para si e o juízo divino para os outros. Isaltino Filho diz que o homem que deveria ser uma bênção para o mundo estava se tornando uma maldição por causa da insensibilidade. Crentes de coração duro são maldição para o mundo. Na realidade, para a Igreja, também.[36]

O evangelho tem sido adulterado por muitos pregadores e escritores. As pessoas correm atrás das bênçãos em vez de buscarem o Abençoador. Eles querem as dádivas de Deus e não o Deus das dádivas. O evangelho que elas buscam é outro evangelho, centralizado no homem e não em Deus. Muitos mascates da fé falam hoje na "bênção de Abraão", que é a unção para ficar rico. Mas antes de receber bênçãos, Abraão deveria ser bênção (Gn 12.1-3), alerta Isaltino Filho.[37]

d. Jonas prefere morrer a se arrepender. Jonas não tem medo da morte, ele tem medo de Deus salvar seus inimigos da morte. Jonas está pronto a morrer, mas não disposto a se arrepender. Ele prefere ser jogado ao mar a se humilhar diante de Deus e tomar o caminho da obediência.

Jonas não mudou sua conduta nem depois de passar pela dolorosa experiência de ser engolido por um peixe. O livro começa com Jonas indiferente à sorte dos ninivitas e termina com Jonas ainda absolutamente indiferente à sorte deles.[38]

Por que Jonas fugiu? Por que ele ainda continua emburrado depois de terminar a missão em Nínive? Charles Feinberg lista cinco respostas a essas perguntas: primeiro, o arrependimento e a conseqüente sobrevivência de Nínive poderiam ser mais tarde a derrocada do próprio povo de Israel; segundo, Jonas temia que a conversão dos gentios seria em detrimento dos privilégios de Israel como povo escolhido; terceiro, o fanatismo religioso de Jonas não o deixou se alegrar no fato de Deus revelar Sua graça a um povo pagão; quarto, Jonas sabia mediante profecias anteriores (Os 9.3) que a Assíria deveria ser o açoite disciplinador de Deus contra Israel; finalmente, Jonas declara que fugiu porque temia que a mensagem de Deus fosse bem-sucedida entre os ninivitas.[39]

e. Jonas demonstra contradição mais do que contrição. Jonas é um homem contraditório, uma figura patética. Ele é um profeta, mas não se dispõe a falar o que Deus manda nem a ir aonde Deus envia (1.2,3). Quando está com a alma angustiada no ventre do grande peixe, nas camadas abissais do oceano, pede o livramento da morte (2.2) e depois de resgatado e instrumentalizado por Deus quer morrer, e pede para si a morte duas vezes (4.3; 4.8).

Jonas está ofendido porque pensa que Deus arruinou a sua reputação de profeta, uma vez que pregou juízo e o povo ninivita experimentou misericórdia. Jonas receia ser chamado de falso profeta por seu pronunciamento contra Nínive permanecer sem cumprimento.[40] Pelo arrependimento dos ninivitas Deus estava revogando um juízo já pronunciado. Jonas deu mais valor à sua reputação do que a salvação de mais de 120 mil pessoas.

O que o livro ensina sobre os pagãos

Alguns pontos merecem destaque.

1. Os pagãos oram com mais fervor aos seus deuses do que o profeta ao seu Deus. Os marinheiros quando foram assolados pela tempestade oraram intensamente aos deuses e buscaram socorro, mas Jonas ao mesmo tempo dormia o sono da indiferença e da fuga. Ele, quando exortado a invocar o seu Deus, não o fez. Apenas quando foi desmas-

carado como o culpado da trágica tempestade revelou sua identidade, escondendo, entretanto, o fato de ser profeta.

Quando os marinheiros lhe perguntaram: "Que ocupação é a tua? Donde vens? Qual a tua terra? E de que povo és tu?" (1.8) Jonas não respondeu qual era a sua ocupação. Ele não diz que é um profeta. Sua resposta foi ambígua. Jonas não se assume como profeta nem age como profeta.[41]

Os ninivitas ao ouvirem a voz de Deus se arrependeram e se humilharam desde o rei até às crianças. Jonas ouviu a voz de Deus e fugiu. Eles oraram com fervor e Jonas reclamou com amargor. Os pagãos demonstravam mais fervor que o profeta. A religiosidade deles era mais vívida do que a do profeta.

É lamentável que os idólatras e seguidores das seitas heréticas sejam mais zelosos na sua prática religiosa do que aqueles que foram escolhidos, chamados, remidos e santificados por Deus. Aqueles que vivem sem a luz do evangelho, muitas vezes demonstram mais zelo em suas crenças vãs do que os filhos de Deus, que têm a Palavra e o Espírito Santo para guiá-los a uma vida abundante.

2. Os pagãos temem a Deus e se convertem; Jonas teme a Deus e se rebela. O temor de Jonas é mais teológico e menos prático. Ele tem ortodoxia, mas não tem ortopatia nem ortopraxia. Ele tem a doutrina certa (ortodoxia), mas não sentimentos certos (ortopatia) e atitudes certas (ortopraxia). Isaltino Filho diz que o bom ortodoxo deve praticar a ortopatia e a ortopraxia. Caso contrário poderá ser apenas um fariseu. Crê, mas não vive. Ortodoxia sem ortopatia e sem ortopraxia é de pouca utilidade para o mundo.[42] Tanto os marinheiros quanto os ninivitas demonstraram com vida transformada o temor a Deus; Jonas professa temer ao Deus do céu, mas continuou recalcitrante contra os aguilhões.

Jonas apenas diz que teme "[...] ao Senhor, o Deus do céu, que fez o mar e a terra" (1.9), mas os marinheiros ficaram possuídos de grande temor e repreenderam a Jonas (1.10). Quando viram o mar se acalmar, eles temeram "[...] em extremo ao Senhor; e ofereceram sacrifícios ao Senhor e fizeram votos" (1.16). O sentimento de reverência dos pagãos é maior do que o temor do profeta. Quando os ninivitas ouviram a Palavra de Deus, "[...] creram em Deus, e proclamaram um jejum, e vestiram-se de pano de saco, desde o maior até o menor" (3.5).

É triste quando a espiritualidade dos pagãos é maior do que a do povo de Deus! Os incrédulos, muitas vezes, agem de forma mais elevada que o povo de Deus. O procedimento dos marinheiros pagãos e dos ninivitas é superior ao de Jonas.

3. Os pagãos demonstram mais amor do que Jonas, o profeta de Deus. Jonas não demonstrou preocupação alguma com os marinheiros quando se refugiou no sono da fuga. Os marinheiros tentaram de todas as formas salvar Jonas, contudo, mais tarde Jonas não demonstrou nenhum amor pelos ninivitas, antes desejou que eles fossem subvertidos. Jonas é objeto do amor dos pagãos, mas não demonstra amor algum a eles. A ética dos pagãos ultrapassa a ética de Jonas.

Notas do capítulo 1

[1] COELHO FILHO, Isaltino Gomes. *Os profetas menores (I)*. JUERP. Rio de Janeiro, RJ. 2004: p. 129.
[2] KELLEY, Page. *Mensagens do Antigo Testamento para nossos dias*. JUERP. Rio de Janeiro, RJ. 1990: p. 92.
[3] COELHO FILHO, Isaltino Gomes. *Os profetas menores (I)*. 2004: p. 140.
[4] MORA, Vincent. *Jonas*. Edições Paulinas. São Paulo, SP. 1983: p. 8.
[5] CHAMPLIN, Russell Norman. *O Antigo Testamento interpretado versículo por versículo*. Vol. 5. Editora Hagnos. São Paulo, SP. 2003: p. 3547.
[6] PAPE, Dionísio. *Justiça e esperança para hoje*. ABU. São Paulo, SP. 1983: p. 54,55.
[7] COELHO FILHO, Isaltino Gomes. *Os profetas menores (I)*. 2004: p. 131.
[8] POTT, Jerónimo. *El mensaje de los profetas menores*. Iglesia Cristiana Reformada. Grand Rapids, Michigan. 1977: p. 38.
[9] ROBINSON, George L. *Los doce profetas menores*. Casa Bautista de Publicaciones. El Passo, TX. 1984: p. 59.
[10] ARCHER JR., Gleason L. *Merece confiança o Antigo Testamento*. Edições Vida Nova. São Paulo, SP. 1974: p. 346.
[11] ALEXANDER, T. Desmond et all. *Obadias, Jonas, Miquéias, Naum, Habacuque e Sofonias*. Edições Vida Nova. São Paulo, SP. 2006: p. 71.
[12] MCGEE, J. Vernon. *Jonah and Micah*. Thomas Nelson Publishers. Nashville, TN. 1991: p. ix.
[13] FEINBERG, Charles L. *Os profetas menores*. Editora Vida. 1988: p. 132.
[14] MCGEE, J. Vernon. *Jonah and Micah*. 1991: p. ix.
[15] FEINBERG, Charles L. *Os profetas menores*. 1988: p. 133.
[16] CHAMPLIN, Russell Norman. *O Antigo Testamento interpretado versículo por versículo*. Vol. 5. 2003: p. 3549-3550.
[17] MCGEE, J. Vernon. *Jonah and Micah*. 1993: p. xii.
[18] PAPE, Dionísio. *Justiça e esperança para hoje*. 1983: p. 53.
[19] ARCHER JR., Gleason L. *Merece confiança o Antigo Testamento*. 1974: p. 353.
[20] YOUNG, Edward J. *An introduction to the Old Testament*. Eerdmans Publishing Co. Grand Rapids, Michigan. 1953: p. 255.
[21] ALEXANDER, T. Desmond et all. *Obadias, Jonas, Miquéias, Naum, Habacuque e Sofonias*. 2006: p. 79.
[22] FEINBERG, Charles L. *Os profetas menores*. 1988: p. 132.
[23] FEINBERG, Charles L. *Os profetas menores*. 1988: p. 133.
[24] POTT, Jerónimo. *El mensaje de los profetas menores*. 1977: p. 38.
[25] FÁBIO, Caio. *Jonas, o sucesso do fracasso*. 1991: p. 57-60.

[26] WOLFENDALE, James. *The preacher's complete homiletic commentary.* Vol. 20. Baker Books. Grand Rapids, Michigan. 1996: p. 346.
[27] ALEXANDER, T. Desmond et all. *Obadias, Jonas, Miquéias, Naum, Habacuque e Sofonias.* 2006: p. 93.
[28] ALEXANDER, T. Desmond et all. *Obadias, Jonas, Miquéias, Naum, Habacuque e Sofonias.* 2006: p. 97.
[29] DEANE, W. J. *The pulpit commentary.* Vol. 14. Eerdman Publishing Company. Grand Rapids, Michigan. 1978: p. 11.
[30] COELHO FILHO, Isaltino Gomes. *Os profetas menores (I).* 2004: p. 137.
[31] COELHO FILHO, Isaltino Gomes. *Os profetas menores (I).* 2004: p. 147.
[32] COELHO FILHO, Isaltino Gomes. *Os profetas menores (I).* 2004: p. 148.
[33] COELHO FILHO, Isaltino Gomes. *Jonas, nosso contemporâneo.* JUERP. Rio de Janeiro, RJ. 1992: p. 13.
[34] COELHO FILHO, Isaltino Gomes. *Os profetas menores (I).* 2004: p. 142.
[35] ALEXANDER, T. Desmond et all. *Obadias, Jonas, Miquéias, Naum, Habacuque e Sofonias.* 2006: p. 102.
[36] COELHO FILHO, Isaltino Gomes. *Os profetas menores (I).* 2004: p. 142.
[37] COELHO FILHO, Isaltino Gomes. *Os profetas menores (I).* 2004: p. 143.
[38] COELHO FILHO, Isaltino Gomes. *Os profetas menores (I).* 2004: p. 145.
[39] FEINBERG, Charles L. *Os profetas menores.* 1988: p. 134.
[40] ALEXANDER, T. Desmond et all. *Obadias, Jonas, Miquéias, Naum, Habacuque e Sofonias.* 2006: p. 95.
[41] COELHO FILHO, Isaltino Gomes. *Os profetas menores (I).* 2004: p. 140,141.
[42] COELHO FILHO, Isaltino Gomes. *Os profetas menores (I).* 2004: p. 137.

Capítulo 2

Um homem na rota de fuga
(Jn 1.1-3)

ALEXANDRE MAGNO FOI UM dos maiores líderes que o mundo já conheceu. Morreu aos 33 anos de idade chorando por não haver mais terras para conquistar. Do alto de seu cavalo fogoso e brandindo sua espada marchou resoluto e com bravura conquistando terras e ajuntando riquezas. Alexandre não tolerava da parte de seus soldados nenhum ato de covardia. Um dia, ao passar em revista a soldadesca, foi avisado pelo comandante da tropa que um de seus soldados fora visto fugindo e se escondendo do inimigo. Alexandre, rubro de raiva, expressou profundo descontentamento com o gesto covarde do soldado. Contudo, ao perceber juventude tenra e inexperiência do soldado, teve compaixão do jovem e, num tom paternal, lhe perguntou:

— Soldado, qual é o seu nome?

O soldado aliviado, respondeu, mansamente:

— Alexandre, meu senhor!

O sangue de Alexandre ferveu nas veias e com um olhar penetrante e carregado de fúria, ele perguntou novamente:

— Soldado, qual é o seu nome?

— Alexandre, meu senhor, respondeu o soldado gaguejante.

Alexandre, então, saltou de seu cavalo, agarrou o soldado pelo colarinho, jogou-o ao chão e lhe disse:

— Soldado, mude de nome, ou mude de conduta!

Jonas, o profeta, não mudou de conduta, por isso, tentou mudar de endereço. A história da sua fuga é o tema que agora vamos considerar.

Jonas foi um profeta galileu, nascido na vila de Gate-Hefer, a sete quilômetros de Nazaré, e viveu no século oito antes de Cristo e profetizou a expansão do Reino do Norte sob o governo de Jeroboão II. Filho de Amitai, foi contemporâneo dos profetas Amós e Oséias.

Como analisamos no capítulo anterior, Jonas não foi um profeta pós-exílico como querem alguns intérpretes liberais nem um personagem lendário como querem outros críticos da Bíblia. A profecia de Jonas não foi uma novela religiosa, mas um livro histórico inspirado por Deus. A historicidade de Jonas é atestada tanto no Antigo Testamento (2Rs 14.25) quanto no Novo Testamento (Mt 12.39-41; Lc 11.29-32). Não podemos negar a historicidade de Jonas sem negar também a integridade e credibilidade dos outros registros bíblicos. E mais, não podemos negar a historicidade de Jonas sem atingir a credibilidade do Senhor Jesus.

Foi Ele quem citou Jonas como um personagem histórico, fazendo referência aos três dias e três noites que passou no ventre do grande peixe como um símbolo do Seu sepultamento e ressurreição.

Destaco três pontos a respeito de Jonas:

1. Jonas é o primeiro profeta transcultural da História. Deus já havia levantado outros profetas para falar às nações, como Isaías e Amós, mas nenhum profeta até Jonas fora enviado especificamente para falar aos gentios. Jonas é o primeiro missionário estrangeiro a sair da sua terra para anunciar a Palavra de Deus a um povo pagão. Isaltino Filho afirma que as nações recebiam mensagens, mas não em termos tais que a elas se dedicasse um livro e que a elas o ministério de um profeta fosse direcionado. Nesse sentido, Jonas é o primeiro pregador aos gentios.[43] Por séculos Deus havia confinado sua revelação a Israel. Mas Ele é o Senhor de todas as nações. Seu reino não é local e geográfico. Entre os gentios o evangelho também deve ser pregado, pois Deus não é apenas Deus dos judeus, mas da mesma forma é dos gentios (Rm 3.29); e Jonas foi enviado à mais renomada cidade do mundo gentio.[44]

2. Jonas é o primeiro profeta a desobedecer a uma ordem de Deus. Jonas é o primeiro profeta que ao ouvir a voz de Deus se dispõe a fugir de Deus em vez de obedecê-Lo. Charles Feinberg diz que este é o único caso de que se tem notícia de um profeta que se recusou a levar a cabo sua comissão.[45] Jonas prefere mudar de localização geográfica a mudar de atitude.[46] Ele tapa os ouvidos à voz de Deus, amordaça sua consciência, caminha na contramão da vontade de Deus e foge. Foge para longe, mas não tão longe a ponto de Deus não poder encontrá-lo. Na verdade, ninguém pode se esconder Daquele que é onipresente. Para Deus trevas e luz

são a mesma coisa. Não há um centímetro sequer deste vasto universo onde o olhar perscrutador de Deus não esteja presente. É uma consumada loucura o homem tentar fugir da presença Daquele que criou os céus e a terra.

3. Jonas é o primeiro profeta a ver um resultado 100% positivo à sua mensagem. Jonas pregou em Nínive um sermão de apenas cinco palavras, mas impactou uma cidade de mais de 120 mil pessoas. Mesmo não querendo uma resposta positiva, teve o resultado mais otimista da História em resposta à sua pregação. Jonas é o único pregador que ficou frustrado com o seu sucesso. Ele quis morrer porque os seus ouvintes foram salvos. Os assírios realmente se arrependeram e, por esse motivo, receberam 130 anos extras de vida nacional. Certamente, o resultado não dependeu de Jonas, mas de Deus. Foi Deus quem agiu na vida dos ninivitas e não Jonas. Deus agiu eficazmente na vida dos ninivitas por intermédio de Jonas, mas a despeito de Jonas.

Vamos, agora, considerar os três primeiros versículos do livro de Jonas.

A pessoa de Jonas (1.1)

Três verdades devem ser ditas a respeito de Jonas, antes de entrarmos na consideração da sua tentativa de fuga.

a. o nome de Jonas (1.1). O nome *Jonas* significa "pomba". Seu nome está bem de acordo com sua atitude em três aspectos: Primeiro, na Bíblia a pomba é vista como uma ave que busca a fuga na hora do perigo: "Estremece-me no peito o coração, terrores de morte me salteiam; temor e tremor me sobrevêm, e o horror se apodera de mim. Então, disse eu: quem me dera asas como de *pomba*! Voaria e acharia pouso. Eis que fugiria para longe e ficaria no deserto" (Sl 55.4-7). Segundo, a pomba também é símbolo de alguém que chora e geme. "Todos nós [...] gememos como pombas; esperamos o juízo, e não o há; a salvação, e ela está longe de nós" (Is 59.11). Jonas fugiu e também gemeu a ponto de pedir a morte duas vezes. Terceiro, a pomba é símbolo de passividade. O caráter passivo de Jonas é contrastado com o caráter ativo de Deus. Enquanto Jonas foge de Deus, Deus busca Jonas. Enquanto Jonas desce, Deus o levanta. Jonas é contrastado com os marinheiros e com os ninivitas. Enquanto Jonas dorme, os marinheiros clamam e oram. Enquanto Jonas passivamente encontra-se forçado a fazer a vontade de Deus, o povo de Nínive ativamente pede a Deus que suspenda o castigo e lhe envie misericórdia.

No entanto, o significado do nome de Jonas está em descompasso com o seu significado. Pomba também é um símbolo da "paz". Todavia, Jonas está em conflito com Deus, consigo e com os ninivitas. Ele prefere fugir a obedecer a Deus. Prefere ser jogado no mar a arrepender-se. Prefere a morte a ver seus inimigos salvos.

b. O pai de Jonas (1.1). Jonas era filho de Amitai, cujo significado é "verdade". Certamente o nome do seu pai demonstra o compromisso de sua família com a Palavra de Deus. Jonas cresceu num lar onde a verdade foi ensinada pela instrução e pelo exemplo. Os estudiosos crêem que ele era um dos alunos da escola de profetas de Eliseu. Ele cresceu sob a influência espiritual desses grandes gigantes de Deus. A tradição até mesmo aponta Jonas como o menino que Elias ressuscitou, mas não existe comprovação histórica alguma desse fato.

c. A profecia de Jonas (2Rs 14.25). A única referência sobre o profeta Jonas no Antigo Testamento fora do seu livro está em 2Reis 14.25: "Restabeleceu ele os limites de Israel, desde a entrada de Hamate até ao mar da Planície, segundo

a palavra do Senhor, Deus de Israel, a qual falara por intermédio de seu servo Jonas, filho de Amitai, o profeta, o qual era de Gate-Hefer". Três fatos que merecem destaque aqui:
Jonas profetizou durante o reinado de Jeroboão II. Esse foi o mais importante rei do Reino do Norte. Ele governou em Samaria 41 anos e estendeu os limites do seu reino para horizontes tão amplos que quase se igualou aos tempos áureos do reinado de Davi. Em seu reinado houve prosperidade financeira, grandes conquistas militares, grande calmaria nas fronteiras, mas de igual modo grandes sinais de decadência moral e espiritual na nação.

Jonas é apresentado como alguém de Gate-Hefer. Essa pequena vila se situava no território de Zebulom, sete quilômetros ao norte da cidade de Nazaré (Js 19.13) e numa elevação localizada a dezenove quilômetros a oeste do mar da Galiléia. Portanto, ele era um profeta galileu. O sinédrio judeu que discutia a respeito de Jesus não conhecia bem a Escritura e estava desinformado quando disse que da Galiléia não procedia nenhum profeta (Jo 7.52).

Jonas profetizou a favor da expansão das fronteiras de Israel. Mesmo sendo Jeroboão II um homem que fez o que era mau perante o Senhor como seus antecessores e sucessores (2Rs 14.24), Jonas profetizou o alargamento das fronteiras desse reino. Certamente, o ministério nacionalista de Jonas muito agradou a Deus. Ele foi instrumento de Deus para anunciar o crescimento da sua nação, o fortalecimento político da sua terra e a expansão dos limites do seu reino. Agora, Jonas não quer profetizar a salvação de seus inimigos potenciais.

O chamado de Jonas (1.1-3)

Destacaremos, aqui, dois pontos:
1. Jonas, um homem a quem Deus fala (1.1). Jonas é

um homem de Deus, a quem Deus fala. James Wolfendale diz que a palavra veio a Jonas inesperada, rápida e autoritativamente.[47] A expressão "Veio a palavra do Senhor a" introduz uma comunicação divina a um profeta em mais de 100 casos no Antigo Testamento. O que vem a seguir geralmente é a mensagem que o profeta deve proclamar (Jl 1.1; Mq 1.1; Sf 1.1; Ag 1.1; Zc 1.1; Ml 1.1). Às vezes, porém, introduz instruções específicas para o profeta (2Sm 7.4; 1Rs 17.2,8; 21.17). É o caso aqui.[48]

Jonas é um profeta que recebe a Palavra de Deus para transmiti-la aos homens. Jonas é um canal e não apenas um receptáculo. O profeta não pode reter a mensagem nem mudar a mensagem. Ele deve recebê-la e transmiti-la com fidelidade.

O profeta não cria a mensagem, ele a transmite. O profeta é servo da mensagem e não dono dela. O profeta não é a fonte da mensagem, mas o instrumento da sua entrega. O profeta não escolhe o que prega nem a quem prega. Ele é um servo de Deus e um servo da mensagem. O que se requer do profeta é fidelidade no cumprimento da sua missão!

2. Jonas, um homem a quem Deus comissiona (1.2). Deus disse a Jonas: "Dispõe-te, vai à grande cidade de Nínive e clama contra ela, porque a sua malícia subiu até mim" (1.2). A comissão que Jonas recebe de Deus é soberana, árdua, clara e urgente.[49] O profeta Jonas recebe diretamente de Deus a missão de advertir a Nínive da conseqüência de seus maus caminhos. Destacamos aqui alguns pontos:

– Jonas é convocado por Deus para uma missão singular e inédita. Por saber das dificuldades e implicações desse chamado, Deus lhe mostrou a necessidade de ter disposição. Sem disposição não podemos nos levantar nem sair para fazer a obra. O profeta não pode pregar apenas aonde gosta de pregar, ele precisa se dispor a ir pregar aonde Deus o envia para pregar. Certamente Nínive seria o último lugar do mundo que Jonas gostaria de ir como missionário. Isso era a mesma coisa que pedir a um membro do Talibã para entregar uma mensagem de salvação para George W. Bush ou pedir a um palestino xiita para anunciar boas-novas a um judeu ortodoxo.

– Jonas não é chamado a pensar, a refletir, a questionar, mas a ir à grande cidade de Nínive. Embora o verbo hebraico *gûm* muitas vezes indique a ação física de se levantar (Gn 24.54), o imperativo é muito usado com outros verbos para designar a necessidade de uma resposta imediata.[50] Nínive era a maior cidade do mundo naquela época. A enormidade da cidade é um fato tão importante, que o livro de Jonas a destaca três vezes (1.2; 3.2; 4.11). Era também a cidade mais perversa, violenta, e rendida ao pecado. Nínive era o maior antro de maldade, violência e feitiçaria da época. Deus envia Jonas para a região mais tenebrosa do mundo. A descrição que o profeta Naum faz de Nínive é assustadora. Vejamo-la:

> Ai da cidade sanguinária, toda cheia de mentiras e de roubo e que não solta a sua presa! Eis o estalo de açoites e o estrondo das rodas; o galope de cavalos e carros que vão saltando; os cavaleiros que esporeiam, a espada flamejante, o relampejar da lança e a multidão de traspassados, massa de cadáveres, mortos sem fim; tropeça gente sobre os mortos. Tudo isso por causa da grande prostituição da bela e encantadora meretriz, da mestra de feitiçarias, que vendia os povos com a sua prostituição e as gentes, com as suas feitiçarias [...] porque sobre quem não passou continuamente a tua maldade? (Na 3.1-4,19).

– Deus não apenas envia Jonas a Nínive, mas o envia para uma missão específica: clamar contra ela. Jonas recebe a missão de denunciar o pecado de Nínive e anunciar contra ela o justo juízo de Deus. Os pecados dos ímpios ofendem a Deus, pois Ele é santo e justo e não pode aceitar o mal. O pecado é uma abominação para Deus e deve ser reprovado em todo lugar e em todos os tempos. J. R. Thompson falando sobre o pecado da cidade· lembra que a grandeza política de uma cidade não anula a hediondez do seu pecado. O pecado da cidade, muitas vezes, passa desapercebido pelos observadores humanos ou mesmo pelos seus governantes. Porém, jamais passa desapercebido aos olhos de Deus. Por isso, o pecado da cidade deve ser confrontado.[51] O que impressionou a Deus não foram as glórias nem as riquezas nem os palácios suntuosos de Nínive, mas a imensidão da sua malícia.

— Deus não apenas envia Jonas a Nínive, mas lhe dá uma razão para cumprir sua missão. O pecado de Nínive havia subido à presença de Deus. O mau cheiro da malícia de Nínive chegara até o céu e provocava náuseas em Deus. O Senhor não podia mais tolerar a iniquidade daquela grande cidade. Deus dera um basta à repugnante malícia daquela cidade pecaminosa. A destruição seria iminente. A sentença já fora lavrada e o juízo já estava a caminho. Deus vê a maldade das grandes cidades e, por isso, essa maldade precisa ser exposta. A ordem de Deus a Jonas é: "Clama contra ela" (1.2).

A fuga de Jonas (1.3)

Quatro fatos devem ser destacados a respeito da fuga de Jonas.

Em primeiro lugar, *Jonas, um homem que desafia a Deus* (1.3). Está escrito: "Jonas se dispôs, mas para fugir da presença do Senhor". Jonas conhecia a majestade do Senhor,

"[...] o Deus do céu, que fez o mar e a terra" (1.9), mas em vez de se dispor a obedecê-Lo, se dispõe a fugir Dele. A sua teologia está em desacordo com sua prática. Ele professa uma coisa e vive outra. Ele crê numa coisa e pratica outra. Jonas é um homem em conflito e contraditório. Ele tem uma mente ortodoxa e uma conduta herege. Ele é ortodoxo, mas não é ortoprático nem ortopático, ou seja, ele tem doutrina certa, mas não tem vida certa nem sentimento certo.

Ao mesmo tempo em que o universo inteiro se curva diante da palavra majestosa de Deus, o profeta desafia a Deus. Deus manda a tempestade ir atrás de Jonas e o mar obedece. Deus manda o peixe apanhar Jonas, e o profeta é tragado. Deus manda um verme cortar uma planta e ele prontamente obedece ao comando do Eterno. Todavia, Deus envia o Seu profeta a Nínive, e ele se dispõe, mas para fugir para longe da face do Senhor. Jonas diz que teme a Deus, mas desafia a Deus.

Em segundo lugar, *Jonas, um homem que foge de Deus* (1.3). Também está escrito: "Jonas se dispôs, mas para fugir da presença do Senhor". J. R. Thompson diz que o motivo que leva um homem a fugir da presença de Deus é sempre ruim. O método que o homem adota para fugir da presença de Deus é sempre absurdo. A impossibilidade de fugir da presença do Senhor é óbvia e as conseqüências de se tentar fugir da presença de Deus são sempre muito problemáticas.[52] Jonas não tem intenção alguma de obedecer às instruções de Deus. Convocado para ir ao leste, ele prefere fugir para a direção oposta, ao oeste. O destino da sua escolha é a cidade de Társis.

Por que Jonas decidiu ir para Társis? Por três razões pelo menos:

Porque Társis ficava no fim do mundo (Is 66.19a). Társis era uma cidade fundada pelos fenícios na costa sudoeste da Espanha.[53] Ela ficava na região mais remota do planeta daquela época, cerca de quatro mil quilômetros de distância de Jope. Társis era o último e mais longínquo lugar conhecido onde os navios fenícios podiam conduzir Jonas.[54] A viagem para lá durava pelo menos um ano. Era o fim da linha. Era o fim do mundo. Jonas pensou que pudesse se colocar fora da jurisdição do Senhor.

Porém, Társis não estava apenas no fim do mundo, mas na direção oposta a Nínive. Nínive ficava ao leste da Palestina e Társis ao oeste. Jonas não queria apenas afastar-se de Deus, mas caminhar exatamente em direção totalmente oposta à vontade de Deus. Jonas está mais para Caim do que para um profeta. Disse Caim: "[...] da tua presença ficarei escondido" (Gn 4.14). Caim, no entanto, lamentou ter de ficar escondido. Mas Jonas quer ficar escondido.[55]

Porque Társis ficava num lugar onde a Palavra de Deus não fora anunciada (Is 66.19b). Jonas pensou que jamais seria incomodado com a voz de Deus ao chegar a Társis. O homem que deveria falar a Palavra de Deus quer distância dessa Palavra. Ele queria não apenas fugir da missão de Deus, mas do Deus da missão. Na verdade, a atitude de Jonas era uma rebelião declarada contra a soberania de Deus, pois Amós, seu contemporâneo, escreveu: "Rugiu o leão, quem não temerá? Falou o Senhor Deus, quem não profetizará?" (Am 3.8). Deus havia falado, mas Jonas não queria profetizar.

Jonas conhecia bem os salmos e cita vários deles em sua oração no ventre do peixe. Mas parece que Jonas se esquecera do salmo 139, que diz:

> Para onde me ausentarei do teu Espírito? Para onde fugirei da tua face? Se subo aos céus, lá estás; se faço a minha cama no mais profundo abismo, lá estás também; se tomo as asas da alvorada e me detenho nos confins dos mares, ainda lá me haverá de guiar a tua mão, e a tua destra me susterá. Se eu digo: as trevas, com efeito, me encobrirão, e a luz ao redor de mim se fará noite, até as próprias trevas não te serão escuras: as trevas e a luz são a mesma coisa (Sl 139.7-12).

Não há atitude mais tola do que tentar escapar e fugir do Deus onipresente. Deus é como sombra à nossa direita (Sl 121.5). Assim como não podemos esconder-nos da nossa sombra, também não podemos nos esconder de Deus. Ele está em todo lugar, em toda parte.

Porque Társis era um lugar próspero (Jr 10.9; Ez 27.12). A cidade de Társis, fundada pelos fenícios, na península Ibérica, era reconhecida como uma das mais ricas fontes de prata, ouro, estanho e chumbo do mundo antigo desde o ano 1000 antes de Cristo.[56] Jonas está disposto a recomeçar sua vida em outro lugar, numa terra muito distante, um lugar próspero, onde não seria incomodado com a Palavra de Deus.

Em terceiro lugar, *Jonas, um homem cercado por várias coincidências* (1.3). Quando Jonas sai de sua vila em Gate-Hefer, no alto das montanhas da Galiléia, ele desce para Jope, às margens do mar Mediterrâneo. Em Jope ficava um porto importante, o único ancoradouro natural no litoral da Palestina ao sul da baia de Akko.[57] Era um importante porto marítimo da região. Nele Jonas encontra um navio que está de saída para Társis. Ele tem o dinheiro para pagar a passagem e há passagem disponível para ele. Jonas embarca em segurança para o destino mais distante daquela época. Jonas podia pensar: "Que bênção! Tudo está dando certo para mim". Nem sempre as circunstâncias favoráveis são um sinal do favor de Deus (At 27.9-20). De igual modo, nem sempre circunstâncias adversas são um sinal de que estamos fora da vontade de Deus. Nós lemos na carta aos Hebreus que alguns escaparam do fio da espada pela fé, mas outros pela fé foram mortos à espada (Hb 11.36-38). Portanto, você não pode interpretar automaticamente que as circunstâncias favoráveis sinalizam a vontade de Deus enquanto as desfavoráveis apontam o contrário.

Jonas podia raciocinar que tudo estava dando certo para ele cumprir seu plano de fugir e escapar da sua missão. Tudo parecia uma feliz coincidência. Ele tinha o dinheiro para pagar a passagem, o navio está saindo exatamente para o fim do mundo, e ainda mais, Deus poderia levantar outro profeta para cumprir aquela missão. Com esses argumentos latejando em sua mente, Jonas fugiu!

Charles Feinberg destaca o fato interessante de que na mesma Jope que Jonas foge para não pregar aos gentios, cerca de 750 anos mais tarde, o apóstolo Pedro necessitou de uma visão do céu para enviá-lo com o evangelho ao gentio Cornélio (At 10).[58]

Em quarto lugar, *Jonas, um homem que desce vertiginosamente na vida* (1.3). Jonas na rota da desobediência faz uma viagem de descida vertiginosa. Ele desce de Gate-Hefer para Jope. De Jope ele desce ao navio. Ao entrar no navio, ele desce ao porão. Do porão do navio, ele desce ao mar. Do mar ele desce às regiões abissais no fundamento dos montes (2.6). Das regiões abissais do mar, ele desce ao ventre do grande peixe. A escalada de uma pessoa que foge de Deus é de uma descida contínua. O caminho da desobediência é descendente. Um abismo chama outro abismo. De queda em queda, de deslize em deslize, esse profeta fujão vai parar no fundo do poço, ou seja, na barriga de um grande peixe.

Isaltino Filho alerta: "Quem conhece a vontade de Deus para a sua vida e foge dela, está percorrendo um caminho para baixo".[59]

As razões de Jonas para fugir de Deus (1.3)

A desobediência de Jonas estava erguida sobre o fundamento de várias desculpas bem consolidadas em sua mente. Jonas não era um homem medroso ou covarde. Ele era um homem em conflito. A piedade e o dever estavam em guerra em seu coração. Ele não foi a Nínive porque tinha medo de morrer na mão dos pagãos. As razões de Jonas podem ser sintetizadas:

1. Jonas fugiu porque conhecia bem a cidade de Nínive. Nínive, a capital da Assíria, situada na margem oriental do rio Tigre e destruída em agosto de 612 antes de Cristo pelos medos, era uma antiga cidade, a maior daquela época e também a mais perversa do mundo nos dias de Jonas. Era uma cópia de Sodoma e Gomorra na sua perversão. Jerónimo Pott diz que no tempo de Jonas o inimigo mais temido era a Assíria. Esse poderoso reino estava nos dias de Jeroboão II sem grandes campanhas expansionistas. E isto elevava as esperanças e o nacionalismo de Israel. Por isso, também, Jonas desejava ver a total destruição de sua capital, Nínive, e não sua salvação.[60]

Nínive era uma cidade opulenta. Henrietta Mears, descrevendo a cidade de Nínive, relata que a fortaleza da cidade media mais ou menos cinqüenta quilômetros de comprimento por dezesseis de largura. Tinha um aspecto admirável. Havia cinco muralhas e três canais que circundavam a cidade. Nínive possuía grandes e belos palácios com os mais lindos jardins. Quinze portas, guardadas por colossais leões e touros, davam acesso à cidade. Contava com setenta galerias magnificamente ornadas de alabastro e de esculturas. O templo da cidade tinha a forma de uma grande pirâmide que reluzia ao sol. Nínive era tão grande em iniqüidade quanto em riqueza e poder. Suas realizações intelectuais eram quase inacreditáveis.[61] A grande Nínive tinha até uma biblioteca famosa, instalada por Assurbanipal, em 650 antes de Cristo.[62]

Isaltino Filho diz que Nínive é tradução do assírio *Ninua*, que é a transliteração do antigo sumério *Nina*, nome da deusa *Ishtar*, uma das divindades dos assírios, chamada de *rainha dos céus*. Essa divindade pagã chegou a ser adorada em Jerusalém (Jr 7.18). Era considerada a deusa da guerra e do sexo. Portanto, violência e imoralidade marcavam a existência da cidade. Nínive tornou-se famosa por sua crueldade. A crueldade assíria era lendária. Todos os povos detestavam as práticas desumanas de suas tropas vitoriosas.[63] Seus métodos de tratar os vencidos incluíam decepar as mãos, vazar os olhos e esfolamento.[64] Citando o professor Sayce, J. Sidlow Baxter diz que a crueldade de Assurbanipal era especialmente revoltante. Pirâmides de crânios humanos marcavam o caminho do conquistador; meninos e meninas eram queimados vivos; homens eram esfolados vivos, privados da visão ou das mãos e pés, de orelhas e narizes, enquanto as mulheres e as crianças eram levadas cativas; a cidade capturada era saqueada e reduzida a cinzas.[65] Citando John Urguhart, J. Sidlow Baxter escreve sobre as atrocidades dos assírios:

> Algumas das vítimas eram presas, enquanto um indivíduo de um grupo de torturadores enfiava a mão na boca da vítima, agarrava-lhe a língua e a arrancava pela raiz. Em outro lugar, estacas eram pregadas no solo. Nelas, os pulsos de outra vítima eram presos com cordas. Seus tornozelos também eram presos,

> e o homem ficava esticado, incapaz de mover um só músculo. O executor aplicava-se então à sua tarefa. Começando no lugar costumeiro, a faca afiada fazia a incisão, e a pele era levantada centímetro por centímetro até que o homem fosse esfolado vivo. Tais peles eram depois esticadas nos muros da cidade. Para outros, longos postes aguçados eram preparados. O sofredor, tomado como o restante dentre os líderes da cidade, era posto no chão. A ponta aguda da estaca era enfiada na parte inferior do peito, e levantavam então a estaca com a vítima contorcendo-se em dores; era colocada no buraco cavado com esse propósito, e o homem ficava ali até morrer.[66]

Na lógica de Jonas, se Nínive fosse destruída, não iria destruir Israel mais tarde. Jonas é um observador político atento aos acontecimentos e, para proteger o seu povo, ele prefere seguir suas idéias a obedecer ao Senhor.

Nessa mesma linha de pensamento, J. Vernon McGee diz que Jonas odiava os ninivitas. Esses conquistadores inveterados usavam vários métodos cruéis de tortura e podiam arrancar facilmente informações de seus prisioneiros. Um dos procedimentos de tortura era enterrar o prisioneiro até o pescoço nas areias do deserto, colocando um espinho em sua língua e o deixando exposto ao sol escaldante até morrer.[67] Os exércitos assírios, avançando contra cidades como bandos de gafanhotos, eram tão truculentos e perversos que algumas cidades ao verem que seriam invadidas cometiam suicídio coletivo em vez de cair nas mãos dos brutais assírios.[68]

Na concepção de Jonas, a salvação de Nínive podia ser a derrota de Israel. A vida de Nínive podia trazer morte para o seu povo. Cumprir a missão em Nínive era trabalhar contra o seu povo, pensava Jonas. A missão de Jonas em Nínive era aos seus olhos uma missão suicida. Ele estava disposto a morrer, mas não a ver sua nação sucumbir sob o poder de Nínive. Ainda mais, o profeta Jonas sabia que Isaías antes dele já havia profetizado que a Assíria invadiria Israel (Is 7.17) e Oséias, depois dele também profetizou o mesmo (Os 9.3; 10.6,7; 11.5). Jonas conhecia o papel amargo que a Assíria desempenharia. Por isso, seu coração deve ter saltado de emoção quando Deus anunciou que Nínive seria subvertida. Isso seria a salvação de Israel. Porém, ao meditar sobre a infinita misericórdia de Deus, Jonas tornou a entristecer-se, pois sabia que se a perversa cidade se convertesse na undécima hora, Deus a perdoaria. Jonas toma uma dolorosa decisão. Prefere sofrer a condenação de Deus a fazer a vontade do Senhor. De modo igual a Moisés, ele preferiu que seu nome fosse riscado do livro a ver Israel ser destruído (Êx 32.32). Semelhante a Paulo, ele preferiu perder-se a ver Israel condenado (Rm 9.3).

Dionísio Pape afirma que Jonas tipificava o judeu que nunca entenderia como seria possível Deus amar os assírios. Como povo eleito, os judeus esperariam que o seu Deus arremetesse contra eles. Assim, Jonas mostra resistência ao propósito divino de evangelizar a raça mais cruel e mais odiada do mundo.[69] J. Sidlow Baxter, nessa mesma linha de pensamento, diz que Jonas mostrou-se preparado para perder o direito ao cargo profético, preparado para fugir para o exílio, preparado até para renunciar à vida, em lugar de ver Nínive poupada.[70] A Assíria era o poder mundial em ascensão destinado a destruir Israel; e Jonas sabia disso.

2. Jonas fugiu porque conhecia bem a Deus. De bom grado Jonas teria saído de Israel e viajado a Nínive para pregar a condenação daquela grande cidade. O que assustava Jonas não era anunciar o juízo nas ruas de Nínive, mas a possibilidade dos ninivitas se arrependerem e de Deus

suspender o castigo e enviar a eles Sua misericórdia. Jonas conhecia a Deus e sabia que se pregasse a mensagem de julgamento em Nínive e o povo da cidade se voltasse para Deus em arrependimento, Deus não o julgaria, mas o salvaria. Foi esse o grande impedimento de Jonas a cumprir voluntariamente a sua missão em Nínive. Eis a explicação de Jonas para a sua fuga:

> Ah! Senhor! Não foi isso o que eu disse, estando ainda na minha terra? Por isso, me adiantei, fugindo para Társis, pois sabia que és Deus clemente, e misericordioso, e tardio em irar-se, e grande em benignidade, e que te arrependes do mal (4.2).

Jonas não queria ver a cidade de Nínive salva. Assim, ele viu no caráter misericordioso de Deus o maior obstáculo para o cumprimento da missão profética. Jonas foi radical em seus pontos de vista e fez de si mesmo a palavra final.

Isaltino Filho corretamente acentua que Jonas distingue-se dos outros profetas de Deus de seu tempo em dois aspectos: Primeiro, ele foi o primeiro a ser comissionado aos gentios; segundo, ele foi o primeiro a desobedecer ao chamado divino. Enquanto o profeta Isaías se oferece para ir (Is 6.8), Jonas, escolhido, foge para não ir (1.3).[71]

3. Jonas fugiu porque se recusou a rever sua teologia. Em todo o Antigo Testamento Deus jamais enviara sequer um profeta especificamente aos gentios. O método de Deus usado até então era o oposto daquele que agora Deus utilizava com Jonas. No entendimento de Jonas, Israel tinha de servir e adorar a Deus como uma nação que fora colocada no entroncamento do mundo, onde os três continentes Europa, Ásia e África se encontravam.

Deus havia escolhido o povo de Israel e o colocara na encruzilhada do mundo. Israel construíra ali um templo de adoração ao Senhor para que pudesse servir e adorar ao Senhor. Os israelitas seriam testemunhas para as nações à proporção que as nações olhassem para eles. O convite era: "Venham e vamos juntos à Casa do Senhor para adorá-lo". Israel servia ao Senhor na medida em que os povos viam como ele adorava ao Senhor no templo. O mundo tinha de vir a Israel e não Israel ir ao mundo. Esse fato pode ser ilustrado com a visita da rainha de Sabá a Jerusalém. Ela ouvira como os hebreus adoravam a Deus e veio ver com os próprios olhos e ficou admirada.[72]

O método de Deus de enviar Seu povo ao mundo em vez de trazer o mundo ao Seu povo, iniciado em Jonas, é o método que a igreja deve usar hoje (Mt 28.18-20; Mc 16.15; At 1.8).

As razões de Deus para mandar Jonas a Nínive

Se Jonas pensou ter seus motivos fortes para fugir de Nínive, Deus tinha razões maiores para enviá-lo a Nínive. Quais foram os motivos de Deus enviar Jonas a Nínive?

a. O de Nínive chegou até o céu (1.3). A malícia de Nínive subiu até Deus. O que os homens fazem na terra reflete no céu. Deus é santo e justo e não tolera o mal no Seu povo nem naqueles que O desconhecem. O pecado é o opróbrio das nações. Ele é o câncer que destrói uma vida, uma família, uma cidade, uma nação, um reino. O pecado é a maior de todas as tragédias. O pecado é pior do que a fome, do que a pobreza, do que a doença e do que a própria morte. Esses males, por mais terríveis, não podem nos afastar de Deus, mas o pecado nos afasta de Deus agora e por toda a eternidade.

b. O cálice da ira de Deus tem um limite para transbordar (1.3). O cálice da ira de Deus contra Nínive estava cheio.

Havia chegado o tempo do juízo. Do céu Deus viu a malícia da cidade e disse: Basta! O profeta Jonas deveria anunciar à grande cidade a sentença divina: arrepender-se e viver ou não se arrepender e morrer!

c. A misericórdia de Deus triunfa sobre Sua ira. O projeto eterno de Deus é salvar aqueles que procedem de toda raça, povo, língua e nação (Ap 5.9). Por intermédio de Abraão, Deus quer abençoar todas as famílias da terra. Israel era o povo escolhido de Deus entre as nações para ser luz para as nações e não para se esconder das nações. Deus é capaz de amar até mesmo os objetos da Sua ira. O amor de Deus não está baseado nas virtudes do objeto amado. A causa do amor de Deus está Nele mesmo. Deus nos ama não por causa das nossas virtudes, mas apesar dos nossos pecados (Rm 5.8). Ele nos ama não por nossa causa, mas apesar de nós. Os ninivitas mereciam o juízo de Deus, mas Ele derramou sobre eles a Sua misericórdia. Eles mereciam a condenação, mas receberam a salvação. Aonde chega o arrependimento, a graça desfila embandeirada. Aonde as lágrimas do quebrantamento são derramadas, o perdão de Deus é oferecido. Aonde há evidência de arrependimento, Deus suspende o juízo e derrama a Sua graça. Deus não tem prazer na morte do ímpio, mas em que ele se converta e viva (Ez 33.11).

NOTAS DO CAPÍTULO 2

[43] COELHO FILHO, Isaltino Gomes. *Jonas, nosso contemporâneo*. 1992: p. 17.
[44] WOLFENDALE, James. *The preacher's complete homiletic commentary*. Vol. 20. 1996: p. 347.
[45] FEINBERG, Charles L. *Os profetas menores*. 1988: p. 133.
[46] CHAMPLIN, Russell Norman. *O Antigo Testamento interpretado versículo por versículo*. Vol. 5. 2006: p. 3553.
[47] WOLFENDALE, James. *The preacher's complete homiletic commentary*. Vol. 20. 1996: p. 347.
[48] ALEXANDER, T. Desmond et all. *Obadias, Jonas, Miquéias, Naum, Habacuque e Sofonias*. 2006: p. 111.
[49] WOLFENDALE, James. *The preacher's complete homiletic commentary*. Vol. 20. 1996: p. 347,348.
[50] ALEXANDER, T. Desmond et all. *Obadias, Jonas, Miquéias, Naum, Habacuque e Sofonias*. 2006: p. 112.
[51] THOMPSON, J. R. *The pulpit commentary – The book of Jonah*. Vol. 14. 1978: p. 6.
[52] THOMPSON, J. R. *The pulpit commentary – The book of Jonah*. Vol. 14. 1978: p. 7.
[53] McGEE, J. Vernon. *Jonah and Micah*. 1991: p. 20.
[54] CHAMPLIN, Russell Norman. *O Antigo Testamento interpretado versículo por versículo*. Vol. 5. 2006: p. 3553.
[55] COELHO FILHO, Isaltino Gomes. *Jonas, nosso contemporâneo*. 1992: p. 19.
[56] ALEXANDER, T. Desmond et all. *Obadias, Jonas, Miquéias, Naum, Habacuque e Sofonias*. 2006: p. 114.
[57] ALEXANDER, T. Desmond et all. *Obadias, Jonas, Miquéias, Naum, Habacuque e Sofonias*. 2006: p. 116.
[58] FEINBERG, Charles L. *Os profetas menores*. 1988: p. 134.
[59] COELHO FILHO, Isaltino Gomes. *Os profetas menores (I)*. 2004: p. 143.
[60] POTT, Jerónimo. *El mensaje de los profetas menores*. 1977: p. 38.
[61] MEARS, Henrietta C. *Estudo panorâmico da Bíblia*. Editora Vida. Flórida, EUA. 1982: p. 268.
[62] ALVES, Oswaldo. *O profeta Jonas e você*. 1994: p. 26.
[63] PAPE, Dionísio. *Justiça e esperança para hoje*. 1983: p. 54.
[64] COELHO FILHO, Isaltino Gomes. *Jonas, nosso contemporâneo*. 1992: p. 18.
[65] BAXTER, J. Sidlow. *Examinai as Escrituras: Ezequiel a Malaquias*. 1995: p. 183.

[66] BAXTER, J. Sidlow. *Examinai as Escrituras: Ezequiel a Malaquias.* 1995: p. 182,183.
[67] MCGEE, J. Vernon. *Jonah and Micah.* 1991: p. 20.
[68] MCGEE, J. Vernon. *Jonah and Micah.* 1991: p. 20.
[69] PAPE, Dionísio. *Justiça e esperança para hoje.* 1983: p. 54.
[70] BAXTER, J. Sidlow. *Examinai as Escrituras: Ezequiel a Malaquias.* Edições Vida Nova. São Paulo, SP. 1995: p. 181.
[71] COELHO FILHO, Isaltino Gomes. *Jonas, nosso contemporâneo.* 1992: p. 19.
[72] MCGEE, J. Vernon. *Jonah and Micah.* 1991: p. 22.

Capítulo 3

Jonas, um homem encurralado por Deus
(Jn 1.4-17)

RICHARD DAWKINS, O PATRONO dos ateus fundamentalistas deste século, escreveu um livro que está fazendo muito barulho: *Deus, um delírio*. Será que Deus é apenas um delírio das mentes fracas ou os ateus é que deliram tentando negar a Sua existência? Davi escreveu: "Diz o insensato no seu coração: Não há Deus" (Sl 14.1). O livro de Jonas nos fala não apenas a respeito da existência de Deus, mas da Sua soberania na História. Não se pode escapar de Deus. Ninguém pode se colocar contra Ele e prevalecer. Ninguém consegue frustrar os Seus desígnios (Jó 42.3). Jonas tentou fugir de Deus, mas Deus o encurralou e o fez dobrar-se ao Seu propósito soberano.

Três verdades devem ser ditas:

Em primeiro lugar, *se Deus é onipresente, e Ele é, fugir da Sua presença é a mais consumada loucura*. Jonas amordaçou a voz da consciência, fechou os ouvidos à ordem de Deus e procurou fugir da presença do Senhor. Suas motivações se ergueram contra a majestade de Deus. Suas supostas razões se interpuseram no caminho da obediência, e ele fugiu. Ele tentou fugir de si mesmo, porque no íntimo sabia que de Deus era impossível fugir. Russell Norman Champlin, citando William Scarlett, diz que nenhuma mudança de ambiente, nem montanhas, nem o mar, nem o deserto, nem mudança de altitude, latitude ou longitude, poderia ajudar Jonas a escapar. Deus estaria onde ele fosse; Deus estava na Palestina, em Jope, em Társis – e continuaria a segui-lo onde quer que ele fosse.[73]

Em segundo lugar, *se Deus é onipotente, e Ele é, opor-se ao Seu propósito é a mais insana das decisões*. Jonas tornou-se inconseqüente ao desafiar o propósito de Deus. É uma contradição afirmar que se teme a Deus e ao mesmo tempo desafiá-Lo. É um arremedo de fé dizer que Deus é O oleiro onipotente que molda o vaso conforme lhe agrada e ao mesmo tempo conspirar contra a Sua vontade. Jonas se torna um homem contraditório e ambíguo quando professa temer a Deus e ao mesmo tempo ousa desafiá-Lo. Sua vida estava em desarmonia com a sua teologia.

Em terceiro lugar, *se Deus é onisciente, e Ele é, tentar esconder-se de Deus é pura insensatez*. O profeta Jonas deixou de ser guiado por suas convicções doutrinárias, para ser dirigido por seus sentimentos. Ele sabia que Deus conhecia tudo e, mesmo assim, tenta se esquivar e esconder-se no porão de um navio e fugir para uma terra distante. Como fugir de Deus, indo para um lugar distante, se Deus está em toda parte? Como resistir ao propósito de Deus, se Ele é onipotente e soberano? Como se esconder e fugir de Deus se Ele vê todas as coisas, e, se luz e trevas para Ele são a mesma coisa? Vamos destacar alguns aspectos da vida de Jonas, um homem encurralado por Deus.

Jonas, um homem procurado por Deus (1.4)

A tempestade não é de modo algum uma coincidência, pondera T. Desmond Alexander.[74] Jonas pensou que o mar seria sua rota de escape, mas Deus estava no mar. Jonas quis fugir de Deus através do mar, mas Deus enviou a tempestade atrás dele no mar. O vento e o mar estavam a serviço de Deus, enquanto Jonas, o profeta, procurava fugir de Deus.

J. Vernon McGee enfatiza que Deus foi o responsável por aquela tempestade. Ela foi uma tempestade sobrenatural.[75] Dionísio Pape afirma que Deus moveu o céu e a terra para que a Sua vontade prevalecesse tanto na vida de Jonas quanto no Seu propósito de evangelizar Nínive. Quem foge da vontade de Deus logo se sente cercado por circunstâncias que parecem fatais. A viagem toda azul se torna tenebrosa. Quem viaja na contramão da vontade de Deus está a caminho de uma grande tempestade.[76]

Deus não enviou a tempestade para destruir Jonas, mas para fazê-lo retornar ao caminho certo. As tempestades de Deus são pedagógicas, elas nos tomam pela mão e nos colocam no caminho de volta para Deus. Warren Wiersbe observa que Deus não estava mais falando com Jonas por meio de Sua Palavra, mas sim através de Suas obras: o mar, o vento, a chuva, o trovão e até o grande peixe. Tudo na natureza obedeceu a Deus, exceto Seu servo! Deus falou a Jonas até mesmo por intermédio dos marinheiros pagãos (1.6,8,10), que não conheciam a Jeová.[77]

Jonas cita no capítulo dois vários salmos, mas parece que ele esqueceu deliberadamente do salmo 139, quando diz que é impossível nos ausentarmos do Espírito de Deus. Não há sequer um lugar neste vasto universo onde alguém possa esconder-se de Deus. Os marinheiros, acostumados com as tempestades do Mediterrâneo, sabiam que aquela não era uma tormenta comum, por isso passaram a invocar os seus deuses e a lançar a carga do navio ao mar para aliviar o peso e evitar o naufrágio.[78]

Não se pode escapar de Deus. Ele está em toda a parte. Foi Ele quem lançou no mar um forte vento e fez brotar das suas entranhas uma avassaladora tempestade. A natureza não agiu por si mesma. Aquele não foi um fenômeno natural. Deus agiu sobrenaturalmente naquele momento, para encurralar o profeta fujão. Nenhuma fuga de Deus dura para sempre, quando aquele que foge é alguém que O conhece. A existência se torna inimiga dos servos de Deus em desobediência.

J. Sidlow Baxter entende que a expressão fugir "da presença do Senhor" deve ser interpretada de acordo com as palavras de Elias – "Tão certo como vive o Senhor, Deus de Israel, perante cuja face estou" (1Rs 17.1). Quando Jonas "[...] se dispôs, mas para fugir da presença do Senhor, para Társis", ele estava voluntariamente renunciando ao cargo profético e à posição profética diante do Senhor. Esse é sem dúvida o significado dessas palavras.[79]

Jonas, um homem causador de problemas (1.4,5)

Aqueles que são chamados para serem uma bênção (Gn 12.2) quando andam pela estrada da desobediência se tornam maldição. Um servo de Deus na rota da fuga é um causador de tempestades. Um crente desobediente é extremamente perigoso; é pior do que um ateu.

Os marinheiros pagãos tornam-se mais sensíveis aos sinais dos tempos do que Jonas. Os pagãos têm discernimento que aquela tempestade no mar Mediterrâneo não é um fenômeno natural. Eles discernem que havia uma causa espiritual por trás daquela borrasca. Eles percebem que algo precisava ser feito para aplacar a fúria do mar. Eles buscam resposta em suas preces e no lançamento de sortes. Enquanto os pagãos se movimentam, Jonas dorme, à medida que eles enfrentam o problema, Jonas se esconde.

Jonas é um provocador de tempestades e um causador de prejuízos materiais. Os marinheiros perderam a carga do navio e quase perderam a vida. Houve atraso na viagem e muito dano material. Houve perdas imensas causadas pela desobediência de Jonas. Muito medo e angústia sobrevieram sobre os marinheiros por causa da rebeldia de Jonas.

Em vez de trazer palavras de ânimo para a tripulação do navio, Jonas é o causador dos problemas. Sua presença no navio foi a verdadeira causa da tempestade. Jonas tornou-se instrumento de juízo e não de livramento para a tripulação do navio. Jonas era um transtorno e não um aliviador de tensões.

Dionísio Pape adverte que o cristão fora da vontade de Deus espalha, por onde quer que ande, graves prejuízos para outros. Naquela hora em que a morte ameaçava a todos, Jonas era um crente de boca fechada. Em vez de falar do Senhor, dormia o sono da fuga.[80]

Um crente desobediente é um perigo. É uma ameaça aos que estão à sua volta. É um provocador de tempestades. É um causador de prejuízos e não uma fonte de provisão. Homens de Deus em fuga de Deus trazem maldição sobre todos que estão ao seu redor.

Jonas, um homem que não consegue se esconder (1.5)

Jonas procura esconder-se no porão do navio. Ele não queria ser percebido. Queria viajar incógnito. Estava disposto a amordaçar a própria consciência e a calar a voz do dever. O esconderijo de Jonas, porém, é descoberto. A tempestade alcança o mar e os marinheiros encontram Jonas.

Os pagãos oram fervorosamente aos seus deuses enquanto Jonas dorme o sono da indiferença. Jonas ronca enquanto os pagãos buscam socorro. Isaltino Gomes Filho diz que a expressão "sono profundo" é, no hebraico, a mesma utilizada como "pesado sono" em Gênesis 2.21. Jonas estava entregue a um sono anestésico.[81] Jonas se aliena enquanto os pagãos procuram respostas. Jonas foge de Deus ao passo que os pagãos buscam solução nele. Enquanto os pagãos ansiavam por viver e lutavam com bravura por sua vida, Jonas se auto-sepulta num sono de desistência da vida. O estado de alienação da vontade de Deus torna Jonas inferior aos pagãos. Eles lutavam pela vida ao passo que Jonas dormia. Eles invocavam os seus deuses enquanto Jonas não tinha prece alguma em seus lábios. Jonas era um teólogo que não orava, um pregador que não pregava, um profeta que não obedecia à voz de Deus.

O tema do medo é proeminente no início, no meio e no fim desse parágrafo (1.4-16). É importante perceber que os marinheiros vão deixando de temer a tempestade para temer o Senhor. 1) Os marinheiros temeram (1.5); 2) Os homens temeram com grande temor (1.10); e 3) Os homens temeram com grande temor o Senhor (1.16).[82]

Deus não deixou Jonas no anonimato. Deus arrancou a sua máscara e removeu o véu que o escondia. Os pagãos lançaram sortes e o azar foi de Jonas. Não foram os pagãos que descobriram Jonas, foi Deus quem entregou Jonas a eles. Em todo o episódio é Deus quem está agindo para trazer o profeta rebelde ao centro da sua missão.

Charles Feinberg corretamente afirma que lançar sortes não era contra a vontade de Deus. Observe-se o lançamento de sortes no caso de Acã (Js 7.16), na divisão da terra sob as ordens de Josué (Js 15.1), no caso da transgressão de Jônatas (1Sm 14.36-42), e na escolha de Matias (At 1.26). Lemos: "A sorte se lança no regaço, mas do Senhor procede toda decisão" (Pv 16.33). Após a descida do Espírito Santo, no Pentecostes, não lemos de lançamento de sorte para o crente. A permanência do Espírito Santo agora é suficiente para a orientação na vida de cada crente, e é assim que Deus procede, de acordo com a Sua Palavra.[83]

Jonas, um homem confrontado pelos ímpios (1.10)

Jonas não prega aos ímpios, mas os ímpios exortam a Jonas: "Levanta-te, invoca o teu deus..." (1.6). Esta é a mesma expressão usada por Deus: "Dispõe-te, vai à grande cidade de Nínive!" (1.2). Jonas não apenas tem sua consciência picada pelas mesmas palavras ditas por Deus; mas, o Senhor dá mais um passo para encurralar o profeta. Quando os pagãos lançaram sortes, Jonas foi encontrado como responsável pela tempestade. T. Desmond Alexander esclarece que não é surpresa quando Jonas é sorteado; essa é apenas mais uma demonstração do controle soberano de Deus sobre os acontecimentos.[84] O pregador é repreendido pelos pagãos por fugir de Deus. Eles parecem mais consistentes e coerentes do que Jonas. Os pagãos se mostram mais zelosos em servir aos seus deuses do que o profeta em obedecer a Deus. Eles oram e clamam aos seus deuses, mas Jonas não dirige sequer uma oração a Deus enquanto estava na presença desses marinheiros.

Charles Feinberg descreve essa situação assim: "Que vergonha, um pagão ter de chamar um profeta de Deus para orar! Como o muçulmano, com seus cinco períodos diários de oração deixa a nós, os crentes, com a cara no chão! Há entre nós os que não lembram de elevar seus corações a Deus uma vez por dia?"[85]

Quando os servos de Deus colocam o pé na estrada da desobediência, se tornam causadores de problemas e não instrumentos de solução. Quando um servo de Deus desobedece, ele perde a autoridade para falar e se acovarda. Um crente em pecado não consegue orar, não consegue testemunhar. Quando um crente se embrenha pelos atalhos escorregadios da fuga, ele transtorna não apenas sua vida, mas a vida daqueles que estão ao seu redor. Um crente desobediente é um perigo e uma ameaça para quem com ele convive. A tempestade que o atinge assola também aqueles que estão com ele no barco.

Jonas não apenas cala a sua voz e covardemente desce para o porão, buscando escapar da realidade em um sono pesado, mas acaba sendo confrontado pelos pagãos. O conhecimento doutrinário de Jonas não o inocentou, apenas agravou sua situação. Privilégios desprezados não atenuam a culpa, mas a agravam ainda mais. Jonas tinha a verdade na mente, mas não a obediência no coração. Ele tinha teologia ortodoxa na cabeça, mas não o fogo da consagração no coração.

Jonas, um homem contraditório (1.8-10)

Jonas assenta-se no banco dos réus e é intimado a responder às perguntas perturbadoras dos pagãos. Uma saraivada de perguntas é disparada contra Jonas, e a brevidade delas se explica pelas circunstâncias: Qual o seu trabalho? De onde você vem? De que terra você procede? De que povo é você? (1.8), mas Jonas responde diretamente apenas a última pergunta. Jonas identifica-se com sua raça (hebreu) e seu Deus (o Senhor), mas propositadamente omitiu a sua ocupação, de onde estava vindo e qual era a sua terra.

Jonas escondeu o fato de ser um pregador e um profeta de Deus, comissionado a pregar em Nínive. Isaltino Filho assevera que a resposta de Jonas é um primor de incoerência. Ele é hebreu e declara temer a Iavé. Acrescenta, ainda, a superioridade de Iavé sobre as divindades invocadas pelos marinheiros: Ele é quem fez o mar e a terra. Ou seja, quem fez tudo. Aquele mar em que estavam, foi feito pelo Deus de Jonas. Ao descrever o Senhor como quem fez o céu e a terra, Jonas deixa claro aos marinheiros que Seu Deus é responsável por aquela crise.[86] Mas se Jonas O teme, por que desobedece a Ele? Se Ele é tão poderoso, por que Jonas o desafia? Jonas tem um credo, recita-o na frente dos outros, mas prefere morrer a viver de acordo com esse credo que proclama. Jonas não se envergonha da sua fé, mas não a vive. Não há, de sua parte, nenhum temor, nenhuma oração, nenhum pedido de socorro. Jonas é muito bem informado doutrinariamente. Sabe que Iavé tem poder sobre o mar, sabe que é poderoso, mas não liga a mínima para isso. Conhece, mas não vive.[87]

O mesmo escritor ainda afirma que temos um profeta que não se assume como profeta nem mesmo age como profeta, pois não quer proclamar a Palavra de Deus.[88] Vale a pena ressaltar a declaração de fé que Jonas faz: "Sou hebreu e temo ao Senhor, o Deus do céu, que fez o mar e a terra" (1.9). A palavra *hebreu* provém de um radical que significa aquele que passa, aquele que vai, aquele que se move, aquele que está a caminho, aquele que anda. É assim que Jonas se justifica: "Eu estou fugindo porque existencialmente sou um ser a caminho". O temor que Jonas diz ter por Deus é negado por suas atitudes. Jonas é como muitos que têm uma teologia para justificar suas fugas de Deus e uma fé que não produz oração. Isaltino Filho coloca esse fato com as seguintes palavras:

> Há um descompasso entre as palavras de Jonas e as atitudes de Jonas. "Sou hebreu e temo ao Senhor", diz ele (1.9). Teme nada! Tanto não teme que não cumpre sua determinação nem cumpre seu papel de profeta. Tanto não teme que fugiu para longe "[...] da presença do Senhor" (1.3). Tanto não teme que discute com Deus (4.3,4; 4.8-11).[89]

Jonas confessa crer no Deus criador e soberano. Sua fé é ortodoxa, mas sua atitude está desalinhada de sua teologia. Ele prega uma coisa e vive outra. Sua teologia não está em sintonia com a sua prática. Assim, Jonas torna-se um ser ambíguo e contraditório. Há uma esquizofrenia existencial instalada no peito de Jonas. Ao mesmo tempo em que ele diz que teme a Deus, O desafia. Chama Deus de Senhor, mas se rebela contra Ele. Professa crer na majestade e soberania de Deus que criou o mar e a terra, mas tenta escapar de Deus com uma viagem pelo mar.

Jonas é um homem contraditório. Ele tem doutrina boa, mas vida errada. Ele tem conhecimento, mas não tem amor. Ele tem temor, mas não tem reverência. Seus interesses estão acima da vontade de Deus. Sua fé é antropocêntrica, focada no homem e não em Deus.

Jonas, um homem disposto a morrer, mas não a rever suas atitudes (1.11,12)

Jonas não fugiu para Társis porque era medroso. Ele se dispôs a fugir não por ter medo de morrer nessa empreitada.

A misericórdia de Deus, e não a maldade dos ninivitas, era a razão mais eloqüente pela qual Jonas abandonou sua missão. Não foi a ira de Deus contra os ninivitas que perturbou Jonas, mas a possibilidade da Sua misericórdia. Jonas estava desgostoso com Deus não por causa da Sua severidade, mas por causa da Sua bondade. Jonas quer morrer não porque sua missão fracassou, mas porque foi vitoriosa. Quando os marinheiros lhe perguntaram o que deviam fazer, Jonas prontamente os orientou a jogarem-no ao mar. Para os marinheiros sobreviverem, a vida de Jonas precisaria ser sacrificada. Os marinheiros corajosamente se esforçam para salvar Jonas. Mas lutaram em vão. Se antes eles clamavam a seus deuses (1.5), agora, eles clamam ao Senhor (1.14). Todavia, o Senhor continuaria disciplinando Jonas até ele se render. Jonas, porém, estava pronto a morrer; não a obedecer. Jonas se considera digno de morte e está disposto a sofrer o castigo, mas não a reconsiderar sua posição. Aqueles que são designados a ser bênção para o mundo tornam-se maldição para a sociedade, quando não assumem seu papel de bênção na vida. Os pagãos se preocuparam mais com Jonas do que Jonas com os mais de 120 mil ninivitas que não sabiam discernir entre a mão direita e a esquerda (4.11). Oswaldo Alves coloca esse empenho dos marinheiros em salvar Jonas nos seguintes termos:

> Os olhos arregalados, as roupas esfarrapadas e encharcadas de água grossa e salgada, esbravejavam chicoteando com os remos as ondas furiosas. Mas o vento, com golpes violentos e teimosos, empurrava o navio para longe da praia. A luta não era só contra o mar espumando de raiva. Não! A luta mortal se travava, também, e muito mais dolorosa, na consciência simples daqueles rudes e sofridos marinheiros [...] Eles se agarraram,

como náufragos, ao próprio Deus de Jonas para que este não os castigasse. O testemunho confuso de Jonas, mesmo fugindo de Deus, serviu para passar aos marinheiros a noção do Deus Eterno.[90]

Jonas é lançado na garganta do abismo sem pronunciar sequer uma palavra de arrependimento. No seu dicionário não havia a palavra arrependimento. Ele queria ser o centro do universo. Sua vontade e não a de Deus é que deveria prevalecer.

Jonas, um homem usado por Deus apesar da sua desobediência (1.14-16)

Jonas foi instrumento de Deus na vida dos pagãos e mais tarde na vida dos ninivitas; não por causa dos seus méritos, mas devido aos seus pecados. Mesmo diante de um testemunho trôpego, Jonas tornou-se o pregador que alcançou o melhor resultado de toda a história da Igreja. Nunca um pregador alcançou resultados tão otimistas. Jamais um pregador viu todo o seu vasto auditório se converter. Nunca um sermão medíocre alcançou resultados tão esplêndidos.

Deus nos usa não apenas por nossa causa, mas apesar de nós. A causa da vitória não está em nós, mas em Deus. Na intenção de fugir de Deus e da sua missão, Jonas acaba sendo instrumento de salvação para muitos povos. Aqui fica uma tremenda lição: o mundo só tem o verdadeiro testemunho da salvação quando a Igreja dá esse testemunho com pureza e verdade, ou quando confessa sua fuga e sua desobediência à vontade de Deus. Quando o povo de Deus tem coragem de confessar que a culpa é sua, o mundo crê.

Esta é a hora de termos coragem de confessar que parte da culpa pela tragédia do país é nossa. Parte da responsabilidade pela tragédia no Brasil é culpa da Igreja. Isso porque em muitas ocasiões temos sido uma Igreja em fuga de Deus. Uma Igreja em flagrante desobediência à sua missão. Uma Igreja que ora menos do que muitos pagãos da sociedade brasileira. Uma Igreja menos sensível e bondosa diante do drama humano do que alguns idólatras da nação. Enfim, muitas vezes temos sido mais parte do problema que da solução.[91]

Quando as instruções de Jonas foram finalmente obedecidas, e os marinheiros o jogaram ao mar, os resultados ocorreram de imediato. Com o mar acalmado, os marinheiros ficaram atônitos. Tanto a tempestade quanto a bonança foram obras de Deus. A tempestade foi enviada por Deus e a calmaria instalada veio por intervenção de Deus. Quando a tempestade começou, os marinheiros invocaram os seus deuses (1.5), mas quando a tempestade chegou ao apogeu, eles invocaram o nome do Senhor (1.14). Houve uma transformação importante na vida deles. No começo eles temeram a tempestade. Agora, eles temem o Senhor da tempestade. Por isso, eles temeram em extremo ao Senhor, ofereceram-Lhe sacrifícios e fizeram votos (1.16). Jonas, sem saber ou mesmo sem querer, acabou sendo um instrumento de Deus na vida desses marinheiros. Deus age através dos meios, sem os meios e apesar dos meios. Deus faz a Sua obra por nosso intermédio e mesmo apesar de nós!

Jonas, um homem poupado milagrosamente por Deus (1.17)

Jonas desistiu de Deus, mas Deus não desistiu de Jonas. Jonas abandonou sua missão, mas Deus não abandonou o propósito de levar Jonas a cumprir o Seu mandato. Jonas se dispôs a morrer, mas Deus se dispôs a salvá-lo da morte.

Jonas é lançado ao mar, mas Deus prepara um grande peixe para tragá-lo. Jonas prefere a morte ao arrependimento; prefere morrer a obedecer. Todavia, Deus o poupa da morte e o leva ao campo de trabalho.

O grande peixe não é uma lenda. Jesus referiu-se a Jonas no ventre do peixe três dias como um símbolo da Sua morte e ressurreição (Mt 12.40). Assim como a morte e a ressurreição de Cristo foram reais, também o foram as milagrosas experiências vividas por Jonas. O grande peixe não tragou Jonas por acaso. Jonas foi apanhado por ordem expressa de Deus. O grande peixe apenas obedeceu a uma ordem divina, porque Deus escolhera a Jonas para uma missão e o Senhor estava pronto a mover céu e terra para levar o profeta a cumprir Seu desiderato.

NOTAS DO CAPÍTULO 3

[73] CHAMPLIN, Russell Norman. *O Antigo Testamento interpretado versículo por versículo.* Vol. 5. 2003: p. 3553.

[74] ALEXANDER, T. Desmond et all. *Obadias, Jonas, Miquéias, Naum, Habacuque e Sofonias.* 2006: p. 117.

[75] MCGEE, J. Vernon. *Jonah and Micah.* 1991: p. 25.
[76] PAPE, Dionísio. *Justiça e esperança para hoje.* 1983: p. 56.
[77] WIERSBE, Warren W. *Comentário bíblico expositivo.* Vol. 4. 2006: p. 469.
[78] FEINBERG, Charles L. *Os profetas menores.* 1988: p. 134.
[79] BAXTER, J. Sidlow. *Examinai as Escrituras: Ezequiel a Malaquias.* 1995: p. 192.
[80] PAPE, Dionísio. *Justiça e esperança para hoje.* 1983: p. 57.
[81] COELHO FILHO, Isaltino Gomes. *Jonas: Nosso contemporâneo.* 1992: p. 22.
[82] ALEXANDER, T. Desmond et all. *Obadias, Jonas, Miquéias, Naum, Habacuque e Sofonias.* 2006: p. 117.
[83] FEINBERG, Charles L. *Os profetas menores.* 1988: p. 135.
[84] ALEXANDER, T. Desmond et all. *Obadias, Jonas, Miquéias, Naum, Habacuque e Sofonias.* 2006: p. 119.
[85] FEINBERG, Charles L. *Os profetas menores.* 1988: p. 135.
[86] ALEXANDER, T. Desmond et all. *Obadias, Jonas, Miquéias, Naum, Habacuque e Sofonias.* 2006: p. 120.
[87] COELHO FILHO, Isaltino Gomes. *Jonas, nosso contemporâneo.* 1992: p. 22,23.
[88] COELHO FILHO, Isaltino Gomes. *Os profetas menores (I).* 2004: p. 141.
[89] COELHO FILHO, Isaltino Gomes. *Os profetas menores (I).* 2004: p. 141.
[90] ALVES, Oswaldo. *O profeta Jonas e você.* 1994: p. 38,39.
[91] FÁBIO, Caio. *Jonas, o sucesso do fracasso.* Vinde Comunicações. Niterói, RJ. 1991: p. 17.

Capítulo 4

O desespero humano e o livramento divino
(Jn 2.1-10)

JONAS HAVIA DESISTIDO DE Deus, mas Deus não desistira de Jonas. Jonas pensou que o mar fosse sua sepultura, mas Deus fez surgir um grande peixe para salvá-lo. Deus montou uma operação resgate para trazer de volta o profeta ao centro da sua missão. O amor de Deus persegue implacavelmente Jonas e o encontra no fundo do mar e o traz de volta ao ministério.

O grande peixe que Deus deparou para engolir Jonas não foi um castigo para ele, mas o instrumento do seu livramento. T. Desmond Alexander diz que o peixe foi o meio pelo qual Jonas foi salvo da morte por afogamento.[92] J. Sidlow Baxter acrescenta que o fato de

Jonas ter sido engolido pelo "monstro marinho" não era um ato de punição, mas de preservação.[93] Sem dúvida, Jonas esperava morrer nas águas do mar, porém, quando acordou dentro de um peixe percebeu que Deus, por Sua graça, o havia poupado.[94] Se um navio estava a ponto de afundar, imagine, então, um homem! Suas possibilidades de sobrevivência eram nulas. Jonas é salvo pelo peixe. O peixe não estava ali por acaso. O bilhete de passagem que Jonas adquiriu dava-lhe o direito de seguir até Társis, mas o Senhor modificou a sua viagem. Ela tomaria outra direção e outra condução: um grande peixe. A nova condução de Jonas já o estava esperando, relata Isaltino Filho.[95]

A experiência vivida por Jonas se torna o maior tipo do mais esplêndido acontecimento da História, a morte e a ressurreição de Jesus Cristo (Mt 12.40). Charles Feinberg diz que a preservação de Jonas no ventre do peixe só pode ser explicada como milagre. O próprio Senhor Jesus o chama de "sinal" (Mt 12.39).[96]

A oração de Jonas no ventre do grande peixe é de gratidão pelo livramento muito mais do que uma súplica por livramento. J. Sidlow Baxter afirma que a oração de Jonas é na verdade um salmo de louvor, um *Te Deum,* uma doxologia. A oração de Jonas não contém uma palavra sequer de petição. Ela consiste de ação de graças (2.2-6), contrição (2.7,8) e renovada dedicação (2.9).[97] Essa oração está recheada de citações dos Salmos. O profeta traz à sua memória todo acervo das Escrituras, abrindo para si mesmo os tesouros da verdade divina, enchendo, assim, sua alma de esperança. Warren Wiersbe acrescenta que de uma experiência de rebelião e disciplina, Jonas passa a uma experiência de arrependimento e consagração.[98]

Keil e Delitzsch dizem que a expressão "seu Deus" (2.1) é digna de registro. Jonas não apenas orou ao Senhor, como os marinheiros pagãos oraram (1.14), mas ele orou ao Senhor como Seu Deus, de quem ele tentara escapar e para quem ele, agora, endereça sua súplica.[99]

Várias lições preciosas podem ser aprendidas com a oração de Jonas, nela vemos o desespero humano encontrando alívio no livramento divino.

A nossa angústia pode nos levar à presença de Deus (2.1)

Os réprobos na hora da angústia se revoltam contra Deus (Ap 16.20,21;16.8,9), mas os salvos se humilham e buscam a Sua presença. O mesmo sol que endurece o barro amolece a cera. Enquanto uns se revoltam contra Deus na angústia, outros se voltam para Ele em oração. É notório o que o texto diz: "Então, Jonas, do ventre do peixe, orou ao Senhor, seu Deus" (2.1).

O mesmo Jonas que tentara fugir da presença de Deus sem oração, agora, encurralado pela providência divina, entrega-se a ela. Jonas não orou quando desceu a Jope. Não orou quando comprou sua passagem para Társis. Não orou quando tentou fugir para Nínive e quando se escondeu no porão do navio. Jonas não orou quando a tempestade foi atrás dele no mar Mediterrâneo. Ele não orou quando os marinheiros pagãos oraram. Ele não orou quando foi atirado ao mar, mas ao ser engolido por um grande peixe, capturado nas profundezas do abismo, sentiu necessidade de orar.

Nessa mesma linha de pensamento, Dionísio Pape assevera que a desobediência sempre enfraquece a vida de oração. Muitas vezes o Senhor permite que o desviado sofra, para que clame novamente a Ele em oração. Dentro do peixe, Jonas reconheceu finalmente que Deus estava manobrando todas as circunstâncias e orou.[100] As circunstâncias adversas muitas vezes nos encurralam e nos empurram para a presença de Deus. Quando os nossos recursos acabam, quando a dor assola o nosso peito, quando nos sentimos entrincheirados por situações inadministráveis, quando reconhecemos que chegamos ao fim dos nossos expedientes, somos compelidos a buscar a face do Eterno. Warren Wiersbe diz que a oração de Jonas nasceu da aflição e não da afeição, pois até então, Jonas considerava a vontade de Deus algo para que se voltar numa emergência, não um parâmetro para a vida diária.[101]

J. R. Thomson afirma que todo lugar é apropriado para a oração.[102] Desde uma igreja com belos vitrais até uma caverna escura ou o fundo do mar. Devemos orar em todo lugar, nas ruas agitadas, nos mercados lotados, nas cortes, nas universidades, nas indústrias, no campo de batalha. Jonas orou no ventre de um grande peixe. Não importa onde estamos, mas a quem oramos.

O nosso grito de angústia encontra sempre os ouvidos abertos de Deus (2.2)

Jonas disse: "Na minha angústia, clamei ao Senhor, e ele me respondeu; do ventre do abismo, gritei, e tu me ouviste a voz" (2.2). Uma das verdades mais consoladoras das Escrituras é que Deus ouve as orações. Orar não é apenas um exercício espiritual que acalma os vendavais da alma. Orar não é um sugestionamento psicológico que abranda as tensões do coração. Orar é falar com Aquele que está assentado no trono. Orar é buscar socorro Naquele que tem todo poder e autoridade nos céus e na terra. A oração não muda apenas os nossos sentimentos, muda também as circunstâncias.

Deus jamais rejeita um coração quebrantado. Ele não lança fora aqueles que vêm a Ele. Os ouvidos de Deus estão sempre abertos à súplica dos aflitos. A Bíblia diz: "[...] invoca-me no dia da angústia; eu te livrarei, e tu me glorificarás" (Sl 50.15).

Os marinheiros invocaram os seus deuses e não encontraram resposta. Os ídolos não podem ouvir as orações. Na há esperança de orações respondidas no panteão dos "santos" canonizados por um decreto do papa. Os profetas de Baal clamaram, gritaram e se retalharam com facas, mas Baal não pôde ouvi-los. Porém, aqueles que clamam ao Deus vivo, encontram resposta para as suas angústias. Os ouvidos de Deus não estão fechados nem Sua mão encolhida. Pela oração o povo de Deus triunfou nas batalhas. Pela oração os inimigos foram desbaratados. Pela oração a boca dos leões foi fechada e o fogo cessou de devorar. Pela oração os mártires caminharam firmes e sobranceiros para a fogueira e zombaram das ameaças. Pela oração Jonas emergiu do abismo e encontrou abrigo nos braços do Eterno.

A disciplina de Deus é uma prova do Seu amor por nós (2.3)

Jonas tinha uma mente lúcida. Ele sabia que a tempestade não era apenas um fenômeno natural. Ele discerniu corretamente que Deus havia mandado a tempestade atrás dele (1.12). Agora, ele entende que não foram os marinheiros que o lançaram ao mar, mas o próprio Deus (1.12; 1.15; 2.3). Jonas sabe que as experiências que está vivendo não são casuais, mas providenciais. Ele vê não o castigo de

Deus para destruí-lo, mas a disciplina divina para restaurá-lo.

Vejamos o testemunho do profeta: "Pois me lançaste no profundo, no coração dos mares, e a corrente das águas me cercou; todas as tuas ondas e as tuas vagas passaram por cima de mim" (2.3). Jonas não atribuiu sua experiência ao acaso. Ele não culpou os marinheiros por o lançarem ao mar. Ele não atribuiu sua experiência à fúria do mar ou a uma ação maligna contra ele. Ele vê nas circunstâncias a mão providente de Deus, disciplinando-o para a própria restauração.

A disciplina de Deus é uma prova do Seu amor por nós. Deus nos lança no abismo dos mares revoltos para reconhecermos a profundidade da nossa rebeldia e para nos trazer de volta para o caminho seguro da obediência. O fato de Deus ter disciplinado Jonas é prova que ele era um filho de Deus, pois Deus só corrige seus filhos. "Mas, se estais sem correção, de que todos se têm tornado participantes, logo, sois bastardos e não filhos" (Hb 12.8). O Pai nos disciplina em amor para usufruirmos o fruto pacífico de justiça.

Warren Wiersbe, comentando sobre Hebreus 12.5-11, afirma que podemos reagir à disciplina de Deus de várias formas: podemos desprezar a disciplina de Deus e lutar contra ela (Hb 12.5); podemos desanimar e desfalecer (Hb 12.5); podemos resistir à disciplina e tornar necessária uma correção ainda maior, até mesmo a morte (Hb 12.9) ou podemos nos submeter ao Pai e amadurecer na fé e no amor (Hb 12.7). A disciplina é para o cristão o que o exercício e o treinamento são para o atleta (Hb 12.11); ela nos permite correr a carreira com resistência e alcançar o objetivo determinado (Hb 12.1,2).[103]

A maior tragédia do nosso pecado é nos afastar da presença de Deus (2.4)

Jonas abre seu coração numa confissão dolorosa: "Então, eu disse: lançado estou de diante dos teus olhos; tornarei, porventura, a ver o teu santo templo?" (2.4). Jonas tentou fugir da presença de Deus e, agora, lamenta por ter sido lançado da Sua presença. Jonas experimentou um pouquinho daquilo que estava buscando e se desesperou. Não existe nada mais perigoso do que Deus nos entregar a nós mesmos e nos dar o que procuramos na loucura da nossa rebeldia. T. Desmond Alexander diz que após tentar fugir para Társis, saindo da presença de Deus, Jonas agora se vê a caminho do Sheol, onde estará permanentemente isolado de Deus.[104]

O pedágio mais caro que o pecado cobra é dar ao homem o que ele deseja. O pecado induz o homem a afastar-se de Deus. Mas longe de Deus só existem trevas. Jonas percebeu por um momento a tragédia que é ser lançado fora da presença de Deus. Oh, que grande tragédia será para aqueles que serão banidos da face de Deus por toda a eternidade! (2Ts 1.9).

O pecado é maligníssimo. Ele é pior do que a pobreza, do que a doença, do que a solidão e do que a própria morte. Esses males, embora terríveis, não podem nos afastar de Deus, mas o pecado afasta o homem da presença de Deus agora e por toda a eternidade.

O pecado nos lança fora da presença de Deus. Ele impede a nossa comunhão com Deus. Não podemos viver no pecado e em comunhão com Deus ao mesmo tempo. Ou nossa comunhão com Deus nos afasta do pecado ou o pecado nos afastará da comunhão com Deus. Jonas menciona seu anseio por ver o templo novamente. Por quê? É que o templo era o lugar da comunhão com Deus! Ali Deus se manifestava. Ali a glória de Deus descia. Ali os pecadores se achegavam para fazer seus sacrifícios e receber o perdão de seus pecados.

Quando tentamos fugir da presença de Deus, ficamos encurralados pelas circunstâncias (2.5)

Jonas queria fugir de Deus, mas Deus cercou Jonas por todos os lados. Jonas é um prisioneiro do mar. É impossível fugir da presença Daquele que é onipresente. O salmista perguntou:

> Para onde me ausentarei do teu Espírito? Para onde fugirei da tua face? Se subo aos céus, lá estás; se faço a minha cama no mais profundo abismo, lá estás também; se tomo as asas da alvorada e me detenho nos confins dos mares, ainda lá me haverá de guiar a tua mão, e a tua destra me susterá. Se eu digo: as trevas, com efeito, me encobrirão, e a luz ao redor de mim se fará noite, até as próprias trevas não te serão escuras: as trevas e a luz são a mesma cousa (Sl 139.7-12).

Jonas pensou que podia fugir para Társis, o fim do mundo, o lugar mais distante conhecido da época. Depois pensou que podia esconder-se no porão do navio, fazendo a viagem como um passageiro incógnito. Depois pensou que podia acabar com a saga de sua fuga sendo lançado no mar revolto. Então, percebeu que as águas do mar não seriam sua sepultura, mas as testemunhas da sua fuga. Deus trabalhou todas as circunstâncias para cercarem Jonas. Vejamos seu relato: "As águas me cercaram até à alma, o abismo me rodeou; e as algas se enrolaram na minha cabeça" (2.5). Dionísio Pape diz que as nossas circunstâncias são uma prisão para nós até que voltemos ao espírito de plena obediência.[105]

A estrada da fuga de Deus está repleta de sinais. Se não lermos essas placas, Deus nos cercará pelas águas, pelo fogo, pelo abismo, pelas algas que se enrolarão em nossa cabeça. Deus moverá o céu e a terra para nos encurralar. Não haverá porta de escape para nós. Deus nos ama tanto que nos tornará prisioneiros das circunstâncias que gritarão em nossos ouvidos acerca do Seu amor. Deus não abdica do direito que tem de nos ter para si. Podemos chegar a ponto de desistirmos de Deus, mas Ele jamais desistirá de nós.

O caminho da desobediência sempre nos conduzirá por abismos mais profundos (2.6a)

A trajetória de uma pessoa que foge de Deus é uma descida vertiginosa. Não pode subir aquele que foge do Altíssimo. Quando Jonas se dispôs a fugir da presença do Senhor, começou uma longa descida em sua vida. Desceu de Gate-Hefer, sua cidade natal nas montanhas da Galiléia, para Jope, às margens do mar Mediterrâneo. Desceu de Jope para o navio. Desceu do navio para o porão. Do porão desceu para o mar. Do mar desceu para o ventre do grande peixe. Jonas faz sua última escalada rumo ao abismo. Vejamos: "Desci até aos fundamentos dos montes, desci até à terra, cujos ferrolhos se correram sobre mim, para sempre..." (2.6a). Esta expressão "fundamentos dos montes" só aparece aqui em todo o Antigo Testamento. Provavelmente se refere aos sopés das montanhas, os quais se estendem até o leito do mar. Jonas tentou escapar de Deus para longe, através do mar, mas Deus o fez fazer uma viagem para as partes mais profundas do mar. Ele desceu não apenas espiritualmente, mas também geograficamente. Warren Wiersbe afirma que quando um indivíduo dá as costas para Deus, a única direção a seguir é para baixo.[106]

A estrada da fuga de Deus é uma corrida célere rumo ao abismo. O caminho que nos afasta de Deus nos levará para uma sepultura existencial e nos encerrará na prisão mais terrível, a prisão da culpa.

Quando chegamos ao fundo do poço, de lá a mão de Deus pode nos tirar (2.6b)

Corrie Ten Boon, após passar privações no campo de concentração nazista, disse que não há poço tão profundo que a misericórdia de Deus não seja mais profunda ainda. Não há abismo tão grande onde a graça de Deus não nos alcance. Quando chegamos ao fim da nossa linha, ainda lá a mão de Deus se estende para nos resgatar. Quando chegamos ao fim dos nossos recursos, os celeiros de Deus ainda continuam abertos para nós. A necessidade extrema do homem é apenas mais uma oportunidade para Deus agir.

Quando chegamos a uma situação irremediável, Deus faz um milagre. Vejamos o testemunho de Jonas: "[...] contudo, fizeste subir da sepultura a minha vida, ó Senhor, meu Deus!" (2.6b).

Jonas considera sua descida ao fundo do mar como uma descida até o mundo dos mortos. Ele se via no mundo dos mortos trancado com segurança por uma porta provida de ferrolhos e barras: era impossível escapar dali. Uma vez no Sheol, Jonas ficaria aprisionado ali para sempre.[107] Deus tirou Jonas da sepultura existencial. Ele estava enterrado vivo no ventre de um grande peixe nas profundezas do mar Mediterrâneo. Suas chances de sobrevivência eram nulas. Ele nada podia fazer por si mesmo. Ele estava completamente derrotado pelas circunstâncias. Porém, quando tudo parecia perdido, Deus, o seu Deus, o arrancou das entranhas da morte, do poder da sepultura e o trouxe de volta à vida! Jonas introduz um contraste extremamente importante: "[...] contudo, fizeste subir da sepultura a minha vida". Enfim, cessa a viagem descendente de Jonas, e sua descida sofre uma impressionante reviravolta. Agora, quando Jonas já não pode ir mais fundo, o Senhor intervém e o traz para cima.[108] Deus continua realizando grandes prodígios. Ele ainda liberta o encarcerado. Ele ainda quebra os grilhões e despedaça os ferrolhos de ferro. Ele ainda levanta o caído e restaura a alma daquele que se volta para Ele em contrição.

Quando chegamos ao fim dos nossos recursos, devemos lembrar daquilo que nos traz esperança (2.7)

Nas horas de angústia precisamos lançar mão dos arquivos da memória. Precisamos trazer à nossa lembrança o que pode nos dar esperança. Jonas se lembrou de Deus. Ele se lembrou do templo. Ele se lembrou das promessas. Vejamos seu relato: "Quando, dentro de mim, desfalecia a minha alma, eu me lembrei do Senhor; e subiu a ti a minha oração, no teu santo templo" (2.7).

A Bíblia nos ensina a trazer à memória o que pode nos dar esperança. Quando o profeta Jeremias viu a cidade de Jerusalém saqueada e ferida, seus jovens sendo mortos à espada, os velhos pisados pelas ruas e uma nuvem pardacenta se formou sobre sua cabeça, ele disse: "Quero trazer à memória o que me pode dar esperança" (Lm 3.21).

Jonas lembrou das promessas de Deus feitas na inauguração do templo de Jerusalém:

> Toda oração e súplica que qualquer homem ou todo o teu povo de Israel fizer, conhecendo cada um a chaga do seu coração e estendendo as mãos para o rumo desta casa, ouve tu nos céus, lugar da tua habitação, perdoa, age e dá a cada um segundo todos os seus caminhos, já que lhe conheces o coração, porque tu, só tu, és conhecedor do coração de todos os filhos dos

homens; para que te temam todos os dias que viverem na terra que deste a nossos pais (1Rs 8.38-40).

Ele se lembrou das misericórdias infinitas de Deus que é rico em perdoar os que se voltam para Ele em sincero arrependimento. Jonas apropriou-se dessa promessa. Pela fé, voltou os olhos para o templo de Deus e pediu ao Senhor que o livrasse. Deus cumpriu Sua promessa e respondeu à sua súplica. Jonas conhecia as promessas que Deus havia feito na aliança e apropriou-se delas.[109]

J. R. Thomson diz que o templo era o lugar onde os sacrifícios eram oferecidos e aceitos; onde Deus mostrava-Se gracioso ao povo do pacto, onde seus pecados eram perdoados e o pecador penitente era recebido e aceito.[110]

Devemos saber que toda forma de idolatria é uma atitude tola e ingrata (2.8)

Jonas tinha pelo menos dois ídolos em sua vida: sua ideologia patriótica e reputação. O primeiro ídolo de Jonas foi o nacionalismo exacerbado. O patriotismo de Jonas tornou-se um ídolo na sua vida a ponto de ele desobedecer a uma expressa ordem de Deus. Ele estava tão preocupado com a segurança e a prosperidade de sua nação que recusou ser mensageiro de Deus para os inimigos assírios. O segundo ídolo de Jonas era a própria reputação (4.2). Quando Deus poupou Nínive, Jonas sentiu-se ferido e magoado, pois havia profetizado juízo e não misericórdia. Com o arrependimento dos ninivitas, o castigo foi suspenso e a misericórdia oferecida. Jonas estava mais preocupado com sua reputação do que com a glória de Deus e a salvação dos ninivitas.

De volta à sua lucidez espiritual, Jonas compreende a loucura e a inutilidade da desobediência a Deus. Quem se entrega à idolatria abandona a Deus e quem se entrega a Deus abandona a idolatria. As duas coisas não podem coexistir. A idolatria é um ato de consumada tolice, por isso ela é vã. A idolatria leva o homem a confiar em algo, ou alguém incapaz de socorrer ou salvar. Desmond Alexander diz que aqueles que adoram ídolos descobrirão em horas de dificuldade que esses deuses são, na realidade, totalmente impotentes.[111] A idolatria é um ato de cegueira intelectual e espiritual. O idólatra torna uma pessoa embotada intelectualmente e entorpecida espiritualmente. O ídolo tem boca e não fala, tem olhos e não vê, tem pés e não anda, tem mãos e não apalpa; assim são aqueles que o adoram: tornam-se obtusos e cegos. A confiança no ídolo é vã e inútil.

Todavia, Jonas vai além e diz que se entregar à idolatria é uma crassa ingratidão ao Deus misericordioso. Deus é a fonte de todo bem. Tudo que somos e temos vem das mãos de Deus. A vida, a saúde, o pão, a água, o ar, os bens, a família, a salvação, tudo enfim é dádiva de Deus. Atribuir essas benesses divinas a outra fonte é, além de ignorância, grande ingratidão. Dar crédito ao ídolo pelas bênçãos recebidas de Deus é uma conspiração contra a misericórdia do Senhor.

Devemos saber que só encontramos o verdadeiro sentido da vida quando nos voltamos para Deus (2.9,10)

Jonas se volta da sua rebeldia e da sua fuga para reencontrar o verdadeiro significado da vida em Deus. Agora ele sabe, à semelhança do filho pródigo, que a terra distante de Deus é um lugar de sombras espessas, angústias profundas e solidão esmagadora. Jonas lembra de Deus e se volta para Deus. Ele não fica no estágio do desejo como o jovem rico; ele avança para os braços de Deus para encontrar a restauração da sua alma.

Jonas expressa sua alegria pela reconciliação com Deus de quatro formas.

Em primeiro lugar, *a voz do agradecimento* (2.9). Gratidão e não murmuração; ações de graça e não lamento é o que brota dos lábios desse profeta. Ele descobre que a vida não tem sentido longe de Deus e quer, agora, andar com Deus e erguer sua voz num cântico de agradecimento.

Em segundo lugar, *a oferta de sacrifícios* (2.9). Jonas se lembra do templo. Ele recorda como Deus aceitava os sacrifícios e perdoava os pecadores. Ele, que fora um tipo de Cristo em sua experiência no ventre do peixe, agora recorda os sacrifícios no templo, tipos do sacrifício perfeito de Cristo na cruz.

Em terceiro lugar, *o pagamento dos votos* (2.9). Jonas não quer mais quebrar sua palavra. Ele tinha sido chamado por Deus para pregar e quebrara esse voto. Agora, está pronto a fazer a vontade de Deus.

Em quarto lugar, *o reconhecimento da salvação divina* (2.9). Jonas compreende que "a salvação pertence ao Senhor". Essa expressão é o tema do livro. Aqui está a mais importante mensagem desse livro. A salvação pertence ao Senhor. Deus a administra como bem Lhe apraz. Ele pode salvar os judeus e também os gentios. Ele pode salvar nossos aliados e também nossos inimigos. Ele pode salvar quando pregamos de bom grado e também quando pregamos a contragosto. A salvação não é um troféu que conquistamos por méritos, mas um presente imerecido que recebemos de Deus pela fé. Salvação não é o resultado do que fazemos para Deus, mas do que Deus fez para nós. Salvação não é obra humana, é graça divina.

Jonas não podia salvar-se a si mesmo. Ele estava condenado à morte, sepultado vivo no ventre de um grande peixe. Deus, porém, milagrosamente o salvou, tirando-o da morte para a vida. Assim, também, é a nossa salvação ainda hoje! O nosso Deus é o Deus da restauração!

O peixe, sob a orientação divina, estava de plantão para tragar Jonas (1.17) e agora, sob as ordens do Senhor, está de prontidão para vomitá-lo (2.10). Jonas precisou ser lançado fora do navio para o mar se acalmar. Agora, o peixe também o lança em terra seca porque os vendavais da sua alma foram serenados. Do navio ele foi jogado ao mar para a morte; do ventre do peixe ele foi lançado na terra para a vida.

Warren Wiersbe diz que os marinheiros trataram Jonas como se fosse uma carga perigosa que devia ser jogada fora, e agora, Jonas é tratado como uma substância estranha a ser expelida do ventre do peixe.[112]

Jonas está na praia, sabendo que sua oração foi ouvida e que ele tem um compromisso com o Senhor. Ele acabara de dizer: "[...] o que votei pagarei" (2.9). Como profeta, Jonas tinha votado entregar a mensagem divina. Vai fazê-lo agora. Mas não pense que a experiência traumática o fez mudar. Ainda não. O homem é muito teimoso. Ainda poderemos nos reencontrar com ele – e nele, diz Isaltino Filho.[113]

Notas do capítulo 4

[92] ALEXANDER, T. Desmond et all. *Obadias, Jonas, Miquéias, Naum, Habacuque e Sofonias.* 2006: p. 128.
[93] BAXTER, J. Sidlow. *Examinai as Escrituras: Ezequiel a Malaquias.* 1995: p. 193.
[94] WIERSBE, Warren W. *Comentário bíblico expositivo.* Vol. 4. 2006: p. 471.
[95] COELHO FILHO, Isaltino Gomes. *Jonas, nosso contemporâneo.* 1992: p. 30.
[96] FEINBERG, Charles L. *Os profetas menores.* 1988: p. 136.
[97] BAXTER, J. Sidlow. *Examinai as Escrituras: Ezequiel a Malaquias.* 1995: p. 193.
[98] WIERSBE, Warren W. *Comentário bíblico expositivo.* Vol. 4. 2006: p. 471.
[99] KEIL, C. F. e DELITZSCH, F. *Commentary on the Old Testament.* Vol. X. 1978: p. 399.
[100] PAPE, Dionísio. *Justiça e esperança para hoje.* 1983: p. 59.
[101] WIERSBE, Warren W. *Comentário bíblico expositivo.* Vol. 4. 2006: p. 471.
[102] THOMPSON, J. R. *The pulpit commentary on Jonah.* Vol. 14. 1978: p. 45.
[103] WIERSBE, Warren W. *Comentário bíblico expositivo.* Vol. 4. 2006: p. 471.
[104] ALEXANDER, T. Desmond et all. *Obadias, Jonas, Miquéias, Naum, Habacuque e Sofonias.* 2006: p. 131.
[105] PAPE, Dionísio. *Justiça e esperança para hoje.* 1983: p. 59.
[106] WIERSBE, Warren W. *Comentário bíblico expositivo.* Vol. 4. 2006: p. 472.
[107] ALEXANDER, T. Desmond et all. *Obadias, Jonas, Miquéias, Naum, Habacuque e Sofonias.* 2006: p. 132,133.
[108] ALEXANDER, T. Desmond et all. *Obadias, Jonas, Miquéias, Naum, Habacuque e Sofonias.* 2006: p. 133.
[109] WIERSBE, Warren W. *Comentário bíblico expositivo.* Vol. 4. 2006: p. 472.
[110] THOMPSON, J. R. *The pulpit commentary on Jonah.* Vol. 14. 1978: p. 45.
[111] ALEXANDER, T. Desmond. *Obadias, Jonas, Miquéias, Naum, Habacuque e Sofonias.* 2006: p. 134.
[112] WIERSBE, Warren W. *Comentário bíblico expositivo.* Vol. 4. 2006: p. 472,473.
[113] COELHO FILHO, Isaltino Gomes. *Jonas, nosso contemporâneo.* 1992: p. 33,34.

Capítulo 5

O invencível propósito de Deus na vida do pregador e de seus ouvintes
(Jn 3.1-10)

VAMOS DESTACAR três verdades:
1. A rebeldia humana não pode frustrar os planos de Deus. Jonas se dispôs a fugir da presença de Deus e recalcitrou contra os aguilhões. Sua rebeldia o levou ao fundo do poço. Encurralado pelas circunstâncias, dispôs-se a obedecer, mas não a mudar suas atitudes. Porém, sua rebeldia não frustrou o plano de Deus de levar a Palavra à grande cidade de Nínive. Jó havia compreendido esse glorioso fato: Deus tudo pode e ninguém pode frustrar os Seus desígnios (Jó 42.3).
2. A graça de Deus é sempre maior do que o pecado humano. O pecado

dos ninivitas havia subido ao céu, Deus desceu à terra para chamá-los ao arrependimento. Os ninivitas estavam sob a ira de Deus por causa da sua violência e maldade; mas, maior do que a ira foi Sua graça. Mesmo quando a medida do pecado chegou ao seu limite máximo, ainda assim houve perdão quando o povo se humilhou. A graça prevaleceu sobre Sua ira; o castigo foi suspenso e a misericórdia foi oferecida. O mesmo Deus que restaurou o profeta rebelde salvou os ímpios da morte iminente. Deus nunca rejeita o coração quebrantado nem manda embora aquele que busca abrigo em Seus braços.

3. As motivações humanas não podem obstruir a obra divina. Jonas pregou em Nínive uma mensagem de juízo sem derramar sequer uma lágrima. Ele não queria a salvação de seus ouvintes, mas a condenação deles. Seu desejo estava em descompasso com o plano de Deus. A Bíblia diz que Deus não tem prazer "[...] na morte do perverso, mas em que o perverso se converta do seu caminho e viva" (Ez 33.11). O coração de Jonas, porém, batia em descompasso com o coração de Deus. Mesmo assim prevaleceu a obra divina e não as mesquinhas motivações de Jonas.

Vejamos outras lições neste capítulo:

O Deus da segunda chance (3.1)

Jonas não ofereceu chance alguma aos ninivitas; pregou-lhes o juízo iminente sem nenhuma nesga de esperança. Deus, porém, tratou com Jonas de forma diferente. Tendo fracassado na sua primeira missão, Deus lhe ofereceu uma segunda chance. Jonas recebeu a proposta de um novo começo. Deus não recordou a Jonas o seu fracasso e tampouco lhe chamou a atenção, fazendo-lhe ameaças. Deus simplesmente concedeu a Jonas uma nova oportunidade.

Isaltino Filho lembra que quem foi lançado no fundo do mar, desta vez, não foi Jonas, mas a sua falha.[114] O mesmo autor, acertadamente chama a atenção para o perigo de se abusar da bondade de Deus. Ele escreve:

> O fato de Deus ser bondoso, concedendo uma segunda chance, não deve ser um estímulo à recalcitrância. A obediência é a melhor maneira de prevenir desastres.[115]

Warren Wiersbe comenta: "a pessoa que diz: 'Vou pecar, pois sei que Deus me perdoará' não faz idéia da atrocidade do pecado nem da santidade de Deus".[116]

Erramos à semelhança de Jonas e muitas vezes tomamos navios para Társis. Colocamos os pés na estrada da desobediência e tentamos abafar todas as vozes que clamam aos ouvidos da nossa consciência. Mesmo diante das variadas providências divinas, endurecemos nosso coração. Deus nos lança ao chão e nos leva para o fundo do poço. Porém, Deus produz em nós o arrependimento, e Ele nos oferece uma segunda oportunidade. Assim como o filho pródigo recebeu uma nova chance de recomeçar a vida na casa do pai, assim também Deus nos acolhe e nos abraça, mesmo depois das nossas vergonhosas quedas.

J. Vernon McGee pondera que o caso de Jonas não é uma exceção.[117] Deus perdoa seus servos e os restaura. Abraão fugiu para o Egito, onde mentiu sobre a esposa, mas Deus lhe deu outra chance. Jacó mentiu para o pai, enganou o irmão e viveu muitos anos tentando driblar a própria consciência. Um dia, porém, Deus lutou contra ele em Peniel. Jacó resistiu medindo força com força, poder com poder e destreza com destreza. Então, o Senhor tocou-lhe na articulação da coxa e o deixou aleijado. Só assim Jacó se rendeu. Deus mudou o nome de Jacó e salvou sua alma. Moisés matou um homem e fugiu para o Egito, mas Deus o chamou para ser o líder do seu povo. Deus fez o mesmo com Davi. Ele caiu em terríveis pecados. Adulterou, mentiu, matou e escondeu seus crimes no coração. Todavia, quando Davi se arrependeu, Deus o perdoou e lhe restaurou a sorte. Jesus fez o mesmo com Pedro. Este o negou três vezes com juramento e praguejamento. Pedro chegou mesmo a desistir de Jesus, mas Jesus não desistiu de Pedro. Pedro fugiu, mas Jesus foi ao seu encontro. Pedro se arrependeu e Jesus o restaurou. O Senhor também ofereceu uma segunda chance a João Marcos. Esse jovem abandonou Paulo e Barnabé na primeira viagem missionária. Na segunda viagem, Paulo não quis levá-lo. Paulo não teve paciência com ele, mas Deus teve. Mais tarde, Paulo reconheceu que ele lhe era útil no ministério (2Tm 4.11). O nosso Deus é o Deus da segunda chance!

Warren Wiersbe, citando George Morrison, diz que a vida cristã vitoriosa é uma série de recomeços. Quando caímos, o inimigo quer que acreditemos que nosso ministério chegou ao fim e que não há mais esperança de recuperação, mas nosso Deus é o Deus das segundas chances.[118] "Veio a palavra do Senhor, segunda vez, a Jonas" (3.1). "Ó inimiga minha, não te alegres a meu respeito; ainda que eu tenha caído, levantar-me-ei; se morar nas trevas, o Senhor será a minha luz" (Mq 7.8).

O pregador não é dono da mensagem, mas servo dela (3.1,2)

Charles Feinberg corretamente alerta para o fato de que Jonas deveria se levantar e ir a Nínive com a mesma mensagem. Deus conhece as sutilezas de Satanás: se não impede a pregação da Palavra, tenta pervertê-la. Não devia haver alteração alguma da mensagem na pregação de Jonas.[119]

O profeta Jonas não era a fonte da mensagem nem o dono dela. Ele devia ir a Nínive pregar não o que queria nem o que havia concebido em seu coração; ele devia ir pregar a Palavra de Deus, conforme Deus lhe dissera. O pregador não prega palavras suas, mas a Palavra de Deus. O pregador não cria a mensagem, ele a transmite. O pregador não é o reservatório da mensagem, mas seu canal. Desmond Alexander diz que essas palavras "a mensagem que eu te digo" destacam a origem divina da proclamação de Jonas; a mensagem que ele comunica não é sua, mas vem de Deus.[120]

O pregador é um despenseiro (1Co 4.2). O despenseiro é o garçom de Deus. Ele não coloca a comida na despensa, ele a prepara e a coloca na mesa. A mensagem não é originada pelo pregador; ela procede de Deus. Não pregamos a nós mesmos nem nossas idéias. Pregamos a Palavra de Deus. O pregador não tem autorização para mudar a mensagem. Ele precisa ser um despenseiro fiel. Ele tem de colocar na mesa tudo aquilo que Deus colocou na despensa. Ele precisa anunciar todo o desígnio de Deus. Devemos pregar só a Bíblia e toda a Bíblia.

Um obreiro que prega o que quer ou o que o povo quer ouvir está desqualificado. Ele não pode ser um obreiro aprovado se não dá o pão nutritivo da verdade divina para o povo. O papel de um mordomo não é ser popular, mas fiel. O púlpito não é uma plataforma de relações públicas. Os bancos não podem mandar no púlpito. O pregador precisa pregar a verdade e não o que agrada a seus ouvintes. A igreja não é um mercado onde o freguês exige o produto que mais lhe agrada. O pregador é um despenseiro de Deus e prega a Palavra de Deus com fidelidade!

A pregação, no entanto, é uma mensagem que passa pela personalidade e pela experiência do pregador. Jonas entrou em Nínive como um homem que saíra das entranhas da morte. Sua história deve ter chegado antes dele a Nínive. Sua experiência pavimentou o caminho de sua entrada nessa importante cidade do mundo. O juízo de Deus sobre Jonas deve ter despertado a consciência dos ninivitas a respeito da possibilidade e iminência do juízo de Deus sobre eles.

O pregador não administra os resultados da pregação (3.3,4)

Jonas sentiu certo prazer mórbido de pregar uma mensagem de condenação em Nínive. Seu firme desejo era ver cumprir-se a sua ameaça da subversão de Nínive. Agradava-lhe o fato de Nínive ser uma candidata ao fogo do juízo como Sodoma e Gomorra. Jonas tinha fogo em suas palavras, mas não compaixão em seu coração. Henrietta Mears diz que não havia compaixão em sua mensagem nem lágrimas em seus olhos.[121] Ele queria a condenação irremediável de seus ouvintes e não a salvação deles. Seu coração estava sintonizado com a mensagem de condenação, mas não com a possibilidade da salvação.

Jonas prefere a morte a ver seus desafetos salvos. Ele foi alvo do perdão de Deus, mas nem cogita ver seus ouvintes receberem o mesmo perdão. Os sentimentos de Jonas são mesquinhos e indignos de um homem que foi arrancado das entranhas da morte. Ele sabia se alegrar no favor de Deus, mas não queria ser instrumento da graça de Deus na vida de outros.

Jonas prega um sermão de juízo sem abrir a janela da esperança. Ele encurrala seus ouvintes no corredor da morte e não lhes abre a porta do arrependimento. Ele pregou uma mensagem apenas pela metade. Ele trovejou a lei, mas não ofereceu a chuva restauradora da graça. Ele falou da ira de

Deus, mas não da Sua misericórdia. Ele pregou um sermão com apenas cinco palavras e nessas poucas palavras havia toneladas de condenação e nenhum grama de graça. A mensagem de Jonas foi de condenação incondicional e irrevogável. Avisava aos ninivitas que num período de quarenta dias a grande cidade seria varrida pelo fogo do juízo. Quarenta é o número empregado na Bíblia com relação à prova.[122] O dilúvio durou quarenta dias. Moisés ficou no monte Sinai quarenta dias. Elias demorou quarenta dias em sua fuga para o monte Horebe. Jesus foi tentado durante quarenta dias no deserto.

A mensagem de Jonas foi pregada sem compaixão, e, no entanto, ele havia experimentado o milagre da graça e da compaixão de Deus. A palavra "subvertida", no hebraico *hapak,* é a mesma empregada para a destruição de Sodoma e Gomorra (Gn 19.25). Essa palavra era também usada no sentido de virar de cabeça para baixo (2Rs 21.13). Jonas queria ver a cidade de Nínive sendo devorada pelo fogo do juízo e virando de cabeça para baixo.[123] Jonas foi alvo da graça, mas quer ser apenas canal do juízo.

Isaltino Filho narra uma triste história dessa falta de compaixão na vida da Igreja ainda hoje. Vejamos seu relato:

> Num bar de São Paulo, um senhor entregou um folheto de evangelização a uma meretriz. Aproveitando o ensejo, essa mulher lhe abriu o coração. Era uma prostituta, mas fora criada numa igreja evangélica, no interior do país. Um dia, cortou o cabelo, atitude que sua igreja proibia. Foi excluída, e continuou a cortar o cabelo. Não podendo mais se vingar nela, a igreja ameaçou o seu pai. Iria proibi-lo de tocar na banda da igreja, o que para ele era o que havia de mais importante em sua vida. Para não ser privado de tocar na banda, o referido senhor, um crente em Jesus Cristo, cedeu à chantagem da igreja evangélica

e expulsou a filha de casa. Humilhada, a simplória mocinha do interior foi para São Paulo trabalhar como doméstica. Lá, foi desencaminhada pelo filho do patrão. Grávida, foi colocada na rua. Escreveu para o pai, mas este, um cristão, disse que não mais a considerava como filha, pois cortara o cabelo e ainda por cima errara moralmente. Quem a acolheu e amparou, pasmem, foi a dona de um bordel. Agora, estava na prostituição para viver. Chorou com saudades de casa e do evangelho, mas não vira amor na igreja. Não recebera amparo necessário entre os crentes. Foi receber amparo entre meretrizes. A mensagem da graça foi abandonada por aqueles que foram salvos pela graça.[124]

O efeito da mensagem de Jonas, todavia, alcançou os resultados mais esplêndidos. Ele não queria ver ninivita algum salvo e todos eles se converteram a Deus. Ele pregou juízo e o povo clamou por misericórdia. Ele pregou condenação, e Deus ofereceu perdão. Seus sentimentos foram suplantados pela misericórdia divina e suas motivações vencidas pela graça de Deus. Nossas motivações não podem frustrar os planos de Deus. Ele age por nosso intermédio, sem nós e apesar de nós.

O pregador não administra resultados. Se dependesse de Jonas, nenhum ninivita se converteria, mas para seu desgosto, todos passam a crer em Deus e se arrependem de seus maus caminhos e da violência de suas mãos. Jonas é o único pregador que fica irado por causa da bondade de Deus e quer morrer, pois seus ouvintes se convertem ao Senhor.

Deus ama a cidade apesar das suas transgressões (1.2; 3.2; 4.11)

O amor de Deus é incondicional. A causa do amor de Deus não está em nós, mas Nele mesmo. Não há nada que possamos fazer para Deus nos amar mais nem nada que possamos fazer para Deus nos amar menos. Apesar de suas terríveis transgressões, Deus tinha compaixão pela cidade de Nínive (4.11). Nínive era a cidade mais importante do mundo naquela época e estava ao mesmo tempo debaixo da ira e do amor de Deus. Warren Wiersbe diz que a grandeza de Nínive tinha quatro características:[125]

a. Nínive era grande em história. Ela havia sido fundada por Ninrode (Gn 10.8-10), bisneto de Noé. Suas raízes estavam plantadas no solo de uma família importante e muito remota.

b. Nínive era grande em tamanho. O perímetro da cidade e seus subúrbios era cerca de cem quilômetros. Seus palácios eram luxuosos. Suas 1.500 torres eram imponentes. Suas muralhas colossais. Era uma cidade opulenta e rica. A maioria dos estudiosos entende que a referência aos 120 mil que não faziam distinção entre a mão direita e a mão esquerda foi uma menção às crianças da cidade e não à totalidade da sua população (4.11). Sendo assim, a população de Nínive era estimada em mais de seiscentas mil pessoas. Além do mais, havia outras cidades satélites que compunham a região metropolitana da grande Nínive. Charles Feinberg diz que Nínive tinha um circuito de 480 estádios. Era maior que a Babilônia. As muralhas de Nínive tinham trinta metros de altura e eram largas o bastante para permitir quatro carruagens correndo lado a lado.[126]

c. Nínive era grande em esplendor e influência. Nínive era uma das principais cidades do império assírio e também sua capital. Estava construída à beira do rio Tigre, e o rio Coser passava por ela. Seus comerciantes viajavam pelo império trazendo muitas riquezas para a cidade, e o exército da Assíria era temido em toda a parte.

d. Nínive era grande em pecado. Nínive foi uma cidade marcada pela malícia (1.2), pela corrupção moral (3.8) e pela violência (3.8). Os ninivitas eram truculentos, sanguinários e cruéis. Eles despedaçavam suas vítimas sem qualquer piedade. O profeta Naum assim descreveu a cidade: "Ai da cidade sanguinária, toda cheia de mentiras e de roubo e que não solta a sua presa!" (Na 3.1). Os assírios eram conhecidos por todos os vizinhos por sua violência e crueldade com os inimigos. Espetavam suas vítimas com estacas pontiagudas, deixando-as assar até a morte no calor do deserto. Decapitavam pessoas aos milhares e empilhavam seus crânios perto das portas da cidade e até esfolavam pessoas vivas. Não respeitavam sexo nem idade e seguiam a política de matar bebês e crianças para não ter de cuidar deles (Na 3.10).

O mesmo Deus que se irou contra a malícia da cidade também demonstrou a ela sua compaixão, pois moveu o céu e a terra para enviar-lhe um profeta. O método de Deus alcançar os perdidos é pela pregação. Deus não usou nenhum método místico ou inusitado, mas lhes enviou um profeta com a ordem de anunciar-lhes Sua Palavra. O mesmo Deus que enviou uma palavra de juízo e condenação contra a cidade maligna, é o mesmo Deus que tem compaixão quando esse povo se arrepende e se humilha (3.10; 4.11). Se o pecado provoca a ira de Deus, o arrependimento desperta Sua compaixão. Se o pecado é a causa do juízo, o arrependimento abre caminho para a salvação. Onde o pecado é vencido pelo choro do arrependimento, ouve-se a música suave do perdão e os brados de júbilo da salvação.

O arrependimento dos ninivitas (3.5-9)

A Palavra de Deus é poderosa. Ela produz frutos mesmo

quando os pecadores são os mais pervertidos e quando os pregadores são os mais desmotivados.

O sermão de Jonas, embora desprovido de graça, produziu o maior resultado de que se tem notícia na História. A resposta à pregação de Jonas foi imediata e retumbante. A cidade inteira se converteu, embora Jonas não a tenha percorrido toda, e mesmo que a Palavra não tenha chegado a todos os ouvintes. Mesmo ouvindo a mensagem indiretamente, todos, sem exceção, se humilharam em extremo debaixo da mão de Deus.

J. Vernon McGee diz que o que aconteceu em Nínive faz o dia de Pentecostes parecer pequeno. Alguns milhares se voltaram para Deus no dia de Pentecostes, mas várias centenas de milhares se converteram em Nínive. Jamais algo semelhante havia acontecido e jamais voltou a ocorrer.[127] Charles Feinberg corretamente afirma que esse milagre moral da conversão dos ninivitas excede de muito em grandeza o milagre físico vivido por Jonas no ventre do grande peixe.[128]

Quais são os sinais da conversão dos ninivitas?

O arrependimento sincero (3.5). Os ninivitas externaram sua tristeza interior pelo pecado através do jejum e da humilhação com pano de saco. No mundo antigo, esse era um meio comum de expressar tristeza, humildade e penitência – as marcas do verdadeiro arrependimento.[129] O arrependimento dos ninivitas foi unânime: desde o maior até o menor. Começou de cima para baixo. Desde o rei até as crianças. Desde os homens até os animais. Toda prepotência e arrogância acabaram. Nenhuma justificativa e desculpa foi dada. Eles todos se prostraram em total humilhação diante de Deus. O próprio rei trocou seus mantos reais por pano de saco e se sentou no chão em meio ao pó e à cinza.

A verdadeira conversão é evidenciada pelo arrependimento. Não há conversão genuína sem arrependimento. *A confiança profunda em Deus* (3.5). Se o arrependimento é o lado negativo da conversão, a fé em Deus é o seu lado positivo. O arrependimento nos afasta do pecado e a fé nos faz correr para Deus. Pelo arrependimento o homem foge da ira; através da fé corre para a graça. A fé sempre conduz às obras. O povo ninivita creu em Deus e imediatamente se humilhou! Desmond Alexander diz que, significativamente, a reação dos ninivitas é aqui apresentada nos moldes daquilo que Deus esperava de Seu povo (Êx 14.31; 2Cr 20.20), mas muitas vezes não recebia (Nm 14.11; 20.12; Dt 1.32).[130] Os marinheiros pagãos foram exemplo para Jonas em oração, agora os ninivitas pagãos são exemplo para ele no quebrantamento e volta para Deus.

A conversão produz verdadeira mudança. O homem vem a Cristo como está, mas não permanece como está. Encontro com Cristo implica necessariamente imediata transformação. É impossível converter-se a Cristo e ainda permanecer no pecado.

O abandono das práticas pecaminosas (3.8). A conversão toca o ponto nevrálgico da vida. Quando o rico Zaqueu, que vivera extorquindo o povo, cobrando impostos abusivos, se converteu, ele resolveu dar a metade dos seus bens aos pobres e restituir quatro vezes mais a quem havia defraudado. Quando o truculento carcereiro de Filipos se converteu, passou a lavar os vergões de Paulo e Silas. A conversão dos ninivitas foi demonstrada pelo abandono imediato de seus maus caminhos e pela renúncia imediata e definitiva da violência. Essas práticas abomináveis que provocavam a ira de Deus foram abandonadas. Onde o pecado não é abandonado, não há evidência de conversão.

Onde não há evidência de santificação, não há prova de conversão.
Uma posição de humildade diante de Deus (3.9). A ordem do rei ao seu povo foi que todos deveriam se humilhar. Nenhuma exigência foi feita. Deus não tem obrigação de ser misericordioso. Ele tem o compromisso de ser justo. Se Deus aplicasse Sua justiça, os ninivitas estariam subvertidos. O pecador merece o castigo, o juízo, e a condenação. O pecador não tem nada a exigir, mas a suplicar. Uma pessoa convertida é revestida de humildade e não de arrogância.

O arrependimento de Deus (3.10)

Deus viu a malícia do povo (1.2). Deus viu a grandeza da cidade de Nínive (3.2; 4.11). Porém, sobretudo, Deus viu o arrependimento e a fé dos ninivitas (3.10).

O mesmo Deus que vê o pecado, também vê o arrependimento. Ele não despreza um coração quebrantado. Onde há sinal de arrependimento, há oferta de perdão. Onde chega o choro pelo pecado, ouve-se a canção da salvação. Isaltino Filho diz que Jonas podia ser uma pessoa insensível, mas o seu Deus não era. Deus se alegra com o arrependimento. A graça de Deus não é uma exclusividade para Israel. É para o mundo inteiro. A Sua misericórdia vê o arrependimento e responde a ele com a suspensão do juízo.[131]

O arrependimento de Deus é diferente do arrependimento humano. O arrependimento humano abrange a razão, a emoção e a vontade. Arrependimento é mudança de mente, tristeza pelo pecado e volta para Deus.

O arrependimento é saber que o pecado é maligníssimo e devemos aboміná-lo por isso e não apenas por suas trágicas conseqüências. O arrependimento também é tristeza segundo Deus. Essa tristeza produz vida e não morte. Finalmente, o arrependimento abrange a volição, pois implica em abandono do pecado.

Deus não se arrepende assim. Deus não pode pecar. Ele não erra. Nesse sentido, Deus jamais tem do que se arrepender. Desmond Alexander diz que embora o verbo "arrepender-se" transmita a idéia de uma mudança de comportamento de pior para melhor, o verbo hebraico *niham* refere-se, antes, a uma decisão de agir de outro modo, não implicando necessariamente que a primeira ação seja inferior à segunda. Assim, o fato de que Deus muda de idéia aqui não representa um fracasso divino, mas revela Seu sincero desejo de ser coerente com Sua natureza imutável.[132]

O que significa o arrependimento de Deus? É que a relação de Deus com o homem é bilateral. Quando o homem se arrepende do seu mal, então, Deus suspende o castigo que estava prometido e oferece misericórdia.

Isaltino Filho esclarece que o que temos aqui é uma antropopatia, ou seja, a atribuição de sentimento humano a Deus. Moralmente, Deus não tem do que se arrepender. Ele é o "[...] Pai das luzes, em quem não há mudança nem sombra de variação" (Tg 1.17). Ele mudou o modo de tratar Nínive porque Nínive mudou a sua conduta diante dele: Nínive se converteu. Mas o Seu caráter continua o mesmo. A imutabilidade de Deus não significa uniformidade fixa nas Suas atividades na História. Ele não é insensível, tampouco ignora as modificações havidas no comportamento humano. Foi essa maneira de Deus agir que possibilitou ao blasfemo ladrão da cruz, uma vez arrependido, receber as palavras de conforto de Jesus: "Em verdade te digo que hoje estarás comigo no paraíso" (Lc 23.43).[133]

Nessa mesma linha de pensamento, o eminente teólogo Augustus Strong ensina:

A santidade imutável de Deus requer que Ele trate os maus de uma maneira diferente da maneira que trata os justos. Quando os maus se tornam justos, o modo de Deus tratá-los é modificado. O sol não é inconstante ou parcial porque derrete a cera e endurece o barro. A mudança não é devida ao sol, mas aos objetos que recebem os seus raios.[134]

J. Vernon McGee nessa mesma trilha, diz que um dos atributos de Deus é Sua imutabilidade, e isso significa que Ele não muda. Não há razão para Deus mudar, pois Ele conhece o fim desde o início. Se o arrependimento é mudança de mente e a Bíblia diz que Deus se arrepende, o que isso significa? Será que Deus muda a Sua mente? Será que Deus comete enganos? Absolutamente não!

A cidade de Nínive tinha duas opções quando Jonas pregou sua mensagem de juízo. Eles poderiam rejeitar a mensagem de Deus e então seriam inapelavelmente destruídos. Ou eles poderiam aceitar a mensagem de Deus, voltando-se para Deus em arrependimento. Então, Deus os perdoaria e os salvaria, como de fato aconteceu. Deus é imutável. Ele não muda. Quando Sua Palavra é rejeitada e as pessoas se afastam Dele, elas perecem. Todavia, quando elas se voltam para Deus em arrependimento e fé, Ele sempre as salva, por Sua graça. Portanto, quem mudou? Deus mudou? Não! Os ninivitas mudaram. Deus salvará o pecador sempre que este se voltar para Ele![135]

Concluindo, Jerónimo Pott oferece-nos três lições práticas na análise deste capítulo.[136]

1. O pregador tem de proclamar a mensagem divina. Muitas vezes é uma mensagem dura e faz estremecer até mesmo o pregador. A pergunta não deve ser: o que os homens querem ouvir? Mas sim o que Deus está mandando dizer?

2. O arrependimento é pessoal, mas pode ser nacional. Há momentos em que as autoridades devem chamar a nação ao arrependimento, pois há pecado nacional e internacional. Esses pecados demandam confissão e arrependimento geral.

3. O arrependimento nacional pode evitar catástrofes. Deus é benigno e compassivo. Ele é tardio em irar-se e grande e misericórdia. Ele se deleita em perdoar e não tem prazer na morte do perverso. Muitas tragédias poderiam ser evitadas se o povo se humilhasse sob a poderosa mão de Deus!

NOTAS DO CAPÍTULO 5

[114] COELHO FILHO, Isaltino Gomes. *Jonas, nosso contemporâneo.* 1992: p. 35.
[115] COELHO FILHO, Isaltino Gomes. *Jonas, nosso contemporâneo.* 1990: p. 36.
[116] WIERSBE, Warren W. *Comentário bíblico expositivo.* Vol. 4. 2006: p. 476.
[117] MCGEE, J. Vernon. *Jonah and Micah.* 1991: p. 51.
[118] WIERSBE, Warren W. *Comentário bíblico expositivo.* Vol. 4. 2006: p. 475.

[119] FEINBERG, Charles L. *Os profetas menores*. 1988: p. 142.
[120] ALEXANDER, T. Desmond. *Obadias, Jonas, Miquéias, Naum, Habacuque e Sofonias*. 2006: p. 136.
[121] MEARS, Henrietta C. *Estudo panorâmico da Bíblia*. Editora Vida. 1982: p. 269.
[122] FEINBERG, Charles L. *Os profetas menores*. 1988: p. 143.
[123] ALEXANDER, T. Desmond. *Obadias, Jonas, Miquéias, Naum, Habacuque e Sofonias*. 2006: p. 138.
[124] COELHO FILHO, Isaltino Gomes. *Jonas, nosso contemporâneo*. 1992: p. 38.
[125] WIERSBE, Warren W. *Comentário bíblico expositivo*. Vol. 4. 2006: p. 476.
[126] FEINBERG, Charles L. *Os profetas menores*. 1988: p. 142.
[127] MCGEE, J. Vernon. *Jonah and Micah*. 1991: p. 55.
[128] FEINBERG, Charles L. *Os profetas menores*. 1988: p. 144.
[129] ALEXANDER, T. Desmond. *Obadias, Jonas, Miquéias, Naum, Habacuque e Sofonias*. 2006: p. 139.
[130] ALEXANDER, T. Desmond. *Obadias, Jonas, Miquéias, Naum, Habacuque e Sofonias*. 2006: p. 139.
[131] COELHO FILHO, Isaltino Gomes. *Jonas, nosso contemporâneo*. 1992: p. 47.
[132] ALEXANDER, T. Desmond. *Obadias, Jonas, Miquéias, Naum, Habacuque e Sofonias*. 2006: p. 142.
[133] COELHO FILHO, Isaltino Gomes. *Jonas, nosso contemporâneo*. 1992: p. 48,49.
[134] STRONG, Augustus. *Systematic Theology*. 25ª ed. Valley Forge, EUA. The Judson Press, p. 258.
[135] MCGEE, J. Vernon. *Jonah and Micah*. 1991: p. 64,65.
[136] POTT, Jerónimo. *El mensaje de los profetas menores*. 1977: p. 43.

Capítulo 6

Jonas, um homem em crise com Deus
(Jn 4.1-11)

O LIVRO DE JONAS TEM quatro desdobramentos: capítulo 1, Jonas e a tempestade; capítulo 2, Jonas e o peixe; capítulo 3, Jonas e a cidade e capítulo 4, Jonas e o Senhor.[137]

Vamos, agora, considerar o último capítulo. Ele fala da raiva de Jonas e da misericórdia de Deus.[138] O escritor vai da compaixão de Deus para a ira de Jonas; do triunfo do propósito divino ao fracasso dos desejos de Jonas. Isaltino Filho fala que a pregação de Jonas no capítulo 3 foi um sucesso estrondoso. Este é o maior fenômeno na história do evangelismo mundial. Porém, em vez de Jonas manifestar alegria pelo sucesso do seu trabalho, explode em ressentimento e queixumes. Sua zanga é porque Deus manifestou Sua graça a Nínive.[139] Sua mentalidade exclusivista o privou da alegria e o encheu de ira. Já que os ninivitas não morreram, ele quer morrer. Essa mesma mentalidade exclusivista em Jonas está presente também, hoje, em algumas denominações e seitas que loteiam o céu e pensam que são os únicos detentores da graça.

Se o livro de Jonas terminasse no capítulo três, teríamos de considerá-lo um dos maiores profetas da História, uma vez que os resultados da sua pregação foram estupendos. Uma cidade inteira se voltou para Deus e se converteu de seus maus caminhos, como resposta à sua pregação. Deus, porém, sonda os corações e sabe que é possível alguém fazer a coisa certa com a motivação errada; é possível obedecer sem alegria; é possível ser uma bênção para os outros sem usufruir essa mesma bênção.

Warren Wiersbe ensina que no capítulo 1, Jonas é como o filho pródigo, insistindo em fazer as coisas a seu modo (Lc 15.11-32); enquanto no capítulo 4, é como o irmão mais velho do filho pródigo – crítico, egoísta, taciturno, irado e infeliz com o que estava acontecendo.[140]

O livro de Jonas termina falando não apenas da conversão dos ninivitas, mas da rebelião de Jonas. Enquanto os pagãos se derretem, o profeta se endurece. Enquanto os que viviam nas trevas correm para a luz, aquele que conhecia a luz caminha na direção das trevas. Enquanto os pagãos buscam o favor de Deus, o profeta se insurge contra Deus. Enquanto os ninivitas clamam pela compaixão de Deus, Jonas fica irado por causa da compaixão de Deus.

Queremos destacar três perigos a que os servos de Deus estão expostos:

Em primeiro lugar, *o perigo de pregar aos outros e não*

usufruir o poder da mensagem que se prega. Jonas viu o poder de Deus realizando um milagre colossal em Nínive, quebrantando a cidade sanguinária até o pó. Ele viu a eficácia da sua mensagem penetrando os corações mais perversos e realizando profunda mudança, mas essa mesma mensagem transformadora na vida dos outros não produziu efeitos no coração dele. Jonas é um pregador que confronta os outros, mas não a si mesmo. Ele é canal, mas não receptáculo da bênção. Como é triste quando os servos de Deus são fonte de bênção para outros, mas eles próprios deixam de ser abençoados!

Em segundo lugar, *o perigo de se cansar da obra e na obra*. Jonas faz a obra de Deus porque não tem outra opção. Sua motivação está em descompasso com a vontade de Deus. O ministério não é um deleite para ele, mas um fardo pesado. Jonas não tem alegria no que faz. Ele prega e vê o maior de todos os resultados, a conversão de todos os seus ouvintes, mas está desgostoso com a vida. Ele pede a morte para si duas vezes. Jonas está deprimido e cansado de Deus, da obra e na obra.

Em terceiro lugar, *o perigo de se fazer a obra de Deus, mas não se deleitar no Deus da obra*. A maior prioridade do crente não é fazer a obra de Deus, mas se deleitar no Deus da obra. O Deus da obra é mais importante do que a obra de Deus. Na verdade, Deus está mais interessado em quem somos do que naquilo que fazemos. Comunhão com Deus precede trabalho para Deus. O Senhor tem prazer em trabalhar em nós antes de trabalhar por nosso intermédio. Jonas fez a obra de Deus, mas não se deleitou em Deus. Não basta aos servos de Deus fazer a vontade de Deus, mas precisam fazê-la de coração. Warren Wiersbe afirma corretamente que o coração de todo problema é o problema do coração.[141]

Deus não vê apenas a aparência, vê o coração. Deus não se contenta apenas com trabalho certo, Ele requer motivação certa. Jonas é o único profeta que reclama dos atributos de Deus. Ele está aborrecido com Deus e ardendo em ira porque Deus é compassivo e perdoador. Vamos considerar o texto em análise.

Jonas, um homem que se desgosta do que Deus gosta (4.1)

"Com isso, desgostou-se Jonas extremamente e ficou irado" (4.1). James Wolfendale esclarece que a palavra "ira" usada no hebraico significa "quente". Assim, Jonas estava ardendo em ira como fogo.[142] Deus e Jonas são diametralmente opostos. Enquanto Deus se afasta de Sua ira (3.9), Jonas fica irado (4.1,4,9).[143] O que desgostou Jonas a ponto de ficar ardendo em ira como se fosse uma fornalha? O que o deixou tão irado? Duas coisas:

1. A conversão dos ninivitas (3.10a). A xenofobia e o nacionalismo exacerbado de Jonas transformaram-no num profeta preconceituoso e racista. Ele amava tanto a Israel que odiava a todos que podiam se constituir em ameaça para seu povo. Ele queria transformar o Deus vivo numa divindade tribal. Jonas queria a salvação de Israel e a condenação dos ninivitas. Ele se desgostou porque seus ouvintes se converteram. Ele pregou juízo e eles clamaram por misericórdia. Ele anunciou condenação iminente e os assírios, com pressa, se converteram e buscaram perdão. A conversão dos ninivitas foi sua derrota.

2. A compaixão de Deus (3.10b). Jonas ficou ardendo em ira, pois Deus suspendeu Sua ira. A ira de Jonas é como um fogo que crepita e queima. Ele está incendiado de raiva. Seu coração é como uma fogueira de desgosto. Sua alma está

ardendo não de zelo por Deus nem de amor pelos perdidos, mas de egoísmo carnal. Jonas está irado com Deus porque Deus é bom. Ele reclama da bondade de Deus.

Jonas, um homem que ora para reclamar de Deus (4.2)
"E orou ao Senhor e disse: Ah! Senhor! Não foi isso o que eu disse, estando ainda na minha terra? Por isso, me adiantei, fugindo para Társis, pois sabia que és Deus clemente, e misericordioso, e tardio em irar-se, e grande em benignidade, e que te arrependes do mal" (4.2). Jonas é um profeta que não tem prazer na oração. Ele só orou duas vezes no livro. A primeira foi para buscar o socorro de Deus para si (2.1) e a segunda para reclamar de Deus (4.2). Nas duas ocasiões, as orações de Jonas estavam focadas em si mesmo. Ele não ora para se deleitar em Deus nem ora a favor dos outros.

Isaltino Filho comenta que sua última oração é um pretexto para lançar no rosto de Deus a idéia de que ele estava certo, e Deus errado.[144] Jonas tem uma atitude por demais crítica em relação aos atributos divinos e os encara como lamentáveis fraquezas da constituição divina.[145] Jonas, que já se alegrara nesses atributos quando o assunto era sua salvação, agora se irrita com eles, quando o assunto é a salvação dos outros.

Warren Wiersbe diz que a segunda oração de Jonas foi muito diferente da primeira, tanto em conteúdo quanto em intenção. Ele fez a melhor das orações no pior dos lugares – o ventre do peixe – e fez a pior das orações no melhor dos lugares – em Nínive, onde Deus estava operando maravilhas. Sua primeira oração foi fruto de um coração quebrantado, mas sua segunda oração veio de um coração cheio de raiva. Em sua primeira oração, pediu a Deus que o salvasse, mas em sua segunda oração, pediu que Deus o matasse![146]

Jonas abriu o coração e revelou o motivo da sua fuga para Társis. O que o levou a fugir não foi o medo de morrer em Nínive, mas o medo de que os ninivitas não morressem. O medo de Jonas era que Deus salvasse Nínive. Ele já havia profetizado a expansão de Israel (2Rs 14.25) e agora não estava disposto a profetizar a sobrevivência de seus inimigos. Com medo de trair o seu povo, Jonas se dispõe a rebelar-se contra Deus.

A oração de Jonas é um arremedo de oração. O sentido da oração é deleitar-se em Deus, ter comunhão com Ele e alegrar-se Nele. Porém, Jonas está orando não para banquetear-se na sala do trono, fruindo intimidade com Deus, mas para assacar contra Deus amargas acusações. Ele reclama não da severidade de Deus, mas da Sua benignidade. Quando Deus o salvou da morte, ele se alegrou; mas quando Deus salvou da morte os ninivitas, encheu-se de ira. Jonas está irado, pois Deus é gracioso em essência e em atos. Ele elenca cinco motivos para a sua ira:

– Ele está irado por causa da clemência de Deus. Este é um atributo da excelência moral de Deus. Ele é paciente e benigno em Suas obras e em Suas ações. Jonas perde o controle emocional, pois Deus mantém-se fiel ao Seu plano eterno de salvar os pecadores.

– Ele está irado por causa da misericórdia de Deus. O pecador merece o castigo, mas Deus lhe oferece graça. O pecador merece ser condenado, mas Deus o justifica. Deus na Sua misericórdia lança o Seu coração em nossa miséria e suspende o castigo que merecemos e nos oferece Seu perdão. A misericórdia de Deus acendeu uma fornalha de ira no peito de Jonas.

– Ele está irado, pois Deus é tardio em irar-se. Enquanto Jonas é rápido em irar-se, Deus é tardio em fazê-lo. A paciência de Deus é estendida ao máximo. Ele não condena o pecador sem antes chamá-lo ao arrependimento. Antes das taças do juízo serem despejadas, as trombetas da graça são tocadas!

– Ele está irado, pois Deus é grande em benignidade. A benignidade de Deus é Sua disposição de nos tratar com imerecida bondade. A causa do amor de Deus está Nele mesmo. Ele ama o mundo inteiro não porque este mereça o Seu amor, mas porque é grande em benignidade.

– Ele está irado porque Deus se arrepende do mal. O arrependimento de Deus é uma figura de linguagem chamada antropopatia. É atribuir a Deus um sentimento humano. Deus não comete erros nem enganos. Quando, porém, o pecador se converte de seus maus caminhos, Deus suspende o castigo e concede graça. Essa mudança é chamada de arrependimento. Deus não tem prazer na morte do perverso. Ele se deleita, antes, na misericórdia. Deus tem prazer em suspender o mal e oferecer a salvação.

Jonas, um homem que quer morrer porque os outros querem viver (4.3)

"Peço-te, pois, ó Senhor, tira-me a vida, porque melhor me é morrer do que viver" (4.3). Jonas está deprimido porque Deus está celebrando a salvação dos ninivitas. Jonas se entristece com o que alegra o coração de Deus. Jonas quer morrer porque outros querem viver.

Jonas já havia orado para reclamar dos atributos de Deus. Agora, Jonas ora para desistir da dádiva mais preciosa de Deus, o dom da vida. Jonas, por ver seus planos pessoais frustrados, quer morrer. Por não abraçar os planos de Deus e abrir mão dos seus, pensa que a morte é melhor do que a vida.

Charles Feinberg destaca que neste episódio Jonas nos faz lembrar o irmão mais velho da parábola do filho pródigo. São gêmeos espirituais. Tão irritado e furioso está Jonas que ele pede a morte. No capítulo 2 ele dá graças a Deus pelo livramento da morte. Aqui ele busca a morte como sendo melhor do que a vida. Sua ira o deixa contraditório e irracional.[147] Enquanto o profeta Elias queria morrer, porque o povo não tinha zelo pelo nome de Deus; Jonas quer morrer porque o povo se converte a Deus, comentam Keil e Delitzsch.[148]

Duas razões motivaram Jonas para querer morrer:
- Sua reputação. Jonas anunciou juízo e o resultado foi salvação. Ele pregou condenação e o resultado foi absolvição. Sua reputação de profeta estava abalada. Anunciou uma coisa e aconteceu outra. Jonas não atentou para o fato de que a mensagem de Deus sempre abre ao pecador a porta da esperança. O juízo só vem sobre aqueles que permanecem em seus pecados, mas a graça é sempre oferecida aos que se convertem ao Senhor.
- Seu nacionalismo idolátrico. O amor de Jonas pela sua pátria estava suplantando o seu amor por Deus e pelo próximo. Seu amor por Israel era um amor distorcido e desproporcional. A Bíblia nos ensina a amar a Deus sobre todas as coisas. Jonas preferia bater de frente com Deus a entregar-se a uma missão que colocaria em risco sua nação. Na mente de Jonas, a salvação dos ninivitas era a mesma coisa que o fracasso político de Israel.

Jonas, um homem que não muda, mas espera que Deus mude (4.4,5)

"E disse o Senhor: É razoável essa tua ira? Então, Jonas saiu da cidade, e assentou-se ao oriente da mesma, e ali fez uma enramada, e repousou debaixo dela, à sombra, até ver o que aconteceria à cidade" (4.4,5). Depois de condenar Deus por não se irar, Jonas é questionado a respeito da própria ira.[149]

Deus pacientemente confrontou Jonas acerca da sua ira, mas Jonas guardou silêncio. Sua ira era tão irrazoável que Jonas nem respondeu e saiu da cidade. Da primeira vez Jonas esquivou-se dormindo no porão do navio. Agora, Jonas foge, pondo-se à sombra para assistir de camarote o que Deus haveria de fazer.

Charles Feinberg acentua o fato de Deus permanecer tão paciente com Jonas que não usa sequer uma só palavra de censura, de repreensão, ou de castigo em Sua abordagem. Deus procura levar Jonas para fora de si para que ele perceba Sua ira e Seu desagrado ao pecado.[150] O Senhor lhe ofereceu a chance de rever suas posições, mas Jonas permaneceu irredutível. Em vez de render-se a Deus como os ninivitas, Jonas prefere sair da cidade e esperar que Deus se arrependa da Sua benignidade. Jonas não muda, mas espera que Deus mude! A. R. Crabtree diz que Jonas continua rebelde, teimando com Deus na destruição da cidade. Ele acreditava que seu ponto de vista devia prevalecer sobre a visão de Deus.[151]

Esta é a segunda vez que Jonas foge do centro da sua missão. Da primeira vez, Jonas fugiu de Nínive para Társis. Agora, ele foge de Nínive para a sua cabana, enquanto poderia estar no meio da cidade, confortando as almas aflitas que corriam para os braços de Deus em sincero arrependimento.

Jonas foge de Nínive na hora que Nínive corre para Deus. Jonas foge e quer morrer porque o sol bate em sua cabeça, mas quer ver Nínive sendo devastada por fogo e enxofre. Jonas torna-se imutável em sua rebeldia porque Deus é imutável em Sua bondade. Jonas quer fincar o pé em sua ira, esperando que Deus desista da Sua misericórdia. Jonas não quer mudar, mas espera que Deus mude!

Jonas, um homem que se desgosta quando os outros são abençoados, mas se alegra quando ele é abençoado (4.6-8)

"Então, fez o Senhor Deus nascer uma planta, que subiu por cima de Jonas, para que fizesse sombra sobre a sua cabeça, a fim de o livrar do seu desconforto. Jonas, pois, se alegrou em extremo por causa da planta. Mas Deus, no dia seguinte, ao subir da alva, enviou um verme, o qual feriu a planta, e esta se secou. Em nascendo o sol, Deus mandou um vento calmoso oriental; o sol bateu na cabeça de Jonas, de maneira que desfalecia, pelo que pediu para si a morte, dizendo: Melhor me é morrer do que viver!" (4.6-8). Deus já havia livrado Jonas do mar; agora, o livra do sol.

A primeira vez que o livro fala na alegria de Jonas é por uma razão pessoal e egoísta. Jonas ficou tão alegre com a planta quanto estivera irado contra Deus por causa da salvação dos ninivitas. Ele se alegra quando é abençoado e se ira quando os outros o são. Sua vida está centrada nele mesmo e não em Deus. Jonas quebrou os dois principais mandamentos da Lei: Amar a Deus e ao próximo.

Charles Feinberg acentua que mediante a extrema alegria de Jonas por causa da planta, Deus tenciona revelar-lhe a grande alegria que sente no arrependimento de Nínive e no poupá-la da destruição.[152]

Deus está agindo o tempo todo neste livro. É Deus quem chama Jonas, quem envia o vento, quem levanta a tempestade, quem depara o grande peixe para tragar Jonas e quem o ordena a vomitá-lo. É Deus quem salva Jonas das entranhas da morte, quem o envia a Nínive e quem converte o coração dos ninivitas. É Deus, agora, quem faz nascer uma planta para fazer sombra para Jonas, quem envia um verme para devorar a planta e quem envia o vento quente para atingi-lo.

J. Sidlow Baxter diz que um "vento" num dia quente seria refrescante; mas o vento a que nosso texto se refere era o que podia ser descrito como uma espécie de sopro quente, quase sufocando a terra. Esse era o *siroco*, ou vento quente, carregado de poeira. Quando esse vento sopra, os pássaros ocultam-se nas sombras mais densas. Outras aves ofegam ao pé dos muros com os bicos abertos e as asas caídas; os rebanhos e manadas abrigam-se em cavernas e sob grandes rochas; os trabalhadores saem dos campos, fechando as janelas e portas de suas casas e os viajantes apressam-se, para refugiar-se no primeiro lugar que possam encontrar. Em meio a esse calor sufocante é que Jonas desfaleceu e queria morrer.[153]

Deus, porém, está trabalhando com Jonas, usando esses recursos pedagógicos para tocar em seu coração. Se Jonas era capaz de alegrar-se em extremo com o conforto momentâneo de uma sombra, não deveria se alegrar por centenas de milhares de pessoas serem salvas da ira? Se Jonas está desgostoso com a vida a ponto de querer morrer porque uma planta nasceu e no dia seguinte pereceu, não deveria Jonas se alegrar porque milhares de vidas foram salvas da ira vindoura por toda a eternidade? Se Jonas foi capaz de se importar com uma planta que secou, a qual ele não fez crescer, não deveria Deus ter prazer na salvação de milhares de pessoas que Ele criara à Sua imagem e semelhança? A. R. Crabtree diz que a destruição não veio sobre Nínive como Jonas desejava, mas sobre a planta que lhe deu proteção do calor do sol. Jonas precisaria compreender o significado da destruição até de uma planta. Se ele tinha compaixão de uma planta que nada lhe custara quanto mais Deus teria compaixão de milhares de pessoas que não podiam discernir entre a mão direita e a mão esquerda![154]

Jonas, um homem que ama mais as coisas do que as pessoas (4.9,10)

"Então, perguntou Deus a Jonas: É razoável essa tua ira por causa da planta? Ele respondeu: É razoável a minha ira até à morte. Tornou o Senhor: Tens compaixão da planta que te não custou trabalho, a qual não fizeste crescer, que numa noite nasceu e numa noite pereceu" (4.9,10). Duas vezes o texto relata a ira de Jonas (4.1,9) e duas vezes Jonas pede para si a morte (4.3,8).

Da primeira vez Jonas ficou irado, pois Deus não destruiu os ninivitas; da segunda vez Jonas ficou irado porque Deus destruiu a planta. Jonas teria se alegrado com a destruição das pessoas e com a preservação da planta. Em outras palavras, Jonas amava mais as coisas do que as pessoas. Havia uma inversão de valores na sua vida. Ele via pessoas como coisas e as coisas como pessoas; ele amava as coisas e odiava as pessoas.

Deus continua confrontando Jonas. Agora, pergunta-lhe: "É razoável essa tua ira por causa da planta?" Jonas, desprovido de entendimento e cheio de ira, responde: "É razoável até à morte". Jonas está revoltado contra Deus. Ele não esconde seus sentimentos de frustração com as prioridades de Deus. Não pode aceitar o modo de Deus agir. Ele quer fazer de Deus um parceiro de seus preconceitos, de seu ódio e de sua inversão de valores.

Jonas não está apenas em oposição a Deus; ele está também agindo de forma diferente dos gentios. Isaltino Filho descreve o profundo contraste entre Jonas e os gentios:

> Os gentios tratam a Deus com culto. Os marinheiros adoraram a Deus *após* a sua libertação. Os ninivitas adoraram a Deus *antes* da sua libertação. O profeta se relaciona com Deus em termos que mostram a sua má-criação. Os gentios, tanto os marinheiros quanto os ninivitas, respondem a Deus com respeito. Já o profeta, um homem que, teoricamente, devia conhecer a Deus melhor do que os outros, responde a Deus com indelicadeza. Os gentios têm atitudes amorosas. Deus também tem atitudes amorosas. Salva os marinheiros, salva Jonas e salva Nínive. Jonas, por sua vez, é o único que não manifesta nenhuma atitude de amor no livro. Age com manifesta insubmissão, mau humor e rancor. A única vez em que o livro fala de alguém irado, esse alguém é o homem de Deus.[155]

Jonas é um homem contraditório. É um ser em conflito. Enquanto estava dentro do grande peixe, orou para ser liberto mas depois pediu ao Senhor que o matasse. Chamou a cidade ao arrependimento, mas ele próprio não se arrependeu! Preocupou-se mais em ter conforto físico do que em ganhar os perdidos para o Senhor. Os ninivitas, a planta, o verme e o vento obedeceram a Deus, mas Jonas ainda recusava-se a obedecer. Jonas teve compaixão da planta que morreu, mas não teve compaixão do povo que morreria e que permaneceria eternamente separado de Deus. Na cruz, fora da cidade, Jesus pediu que Deus perdoasse seus algozes (Lc 23.34), mas Jonas esperou fora da cidade para ver se Deus mataria aqueles que o profeta não perdoara.[156]

A nossa sociedade está aderindo à filosofia de Jonas. Atualmente, as coisas parecem valer mais do que as pessoas. Plantas e animais têm mais valor do que pessoas. Um crime ambiental é punido com muito mais severidade do que os crimes contra a vida. Milhões de abortos são praticados todos os anos sem qualquer reação negativa da sociedade, mas se um animal silvestre é sacrificado, a imprensa alardeia o fato e o criminoso é exemplarmente punido. Não aprovamos os crimes ambientais nem endossamos aqueles que cometem crimes contra a fauna e a flora. Todavia, as pessoas valem mais do que plantas e animais!

Isaltino Filho conclui esse ponto nessa mesma linha de pensamento:

> Jonas amava mais as coisas do que as pessoas. Esta é a postura do mundo em que vivemos, mundo engolfado em um materialismo pragmático, onde as pessoas lutam, brigam, matam e morrem para ter coisas. Isso, porque as coisas se tornaram o bem maior na nossa escala de valores. Contra isso Jesus nos advertiu: "Acautelai-vos e guardai-vos de toda espécie de cobiça; porque a vida do homem não consiste na abundância das coisas que possui" (Lc 12.15). Um cristão não deve colocar as coisas como o valor último. Não coisifica pessoas nem personaliza coisas.[157]

Jonas, um homem que conhece o amor universal de Deus pelos povos, mas não se dispõe a proclamar esse amor com alegria (4.11).

"E não hei de eu ter compaixão da grande cidade de Nínive, em que há mais de cento e vinte mil pessoas, que não sabem discernir entre a mão direita e a mão esquerda, e também muitos animais?" (4.11). J. Sidlow Baxter esclarece que essa é a revelação do coração de Deus para a qual todo o livro se move e para a qual, de fato, o livro foi escrito. Assim, no momento em que chega a esse ponto, o livro termina. Somos deixados na presença de Deus, face a face com essa comovente revelação da compaixão divina.[158]

O livro de Jonas termina com uma pergunta. Não sabemos se Jonas se arrependeu ou se permaneceu rebelde. Não sabemos se sua ira cessou de arder ou se ele continuou amargo o restante da sua vida. Contudo, esse livro não está inconcluso. Jonas não respondeu, porque essa resposta não deveria ser dada apenas por ele. Jonas não está 2.700 anos distante de nós. Ele está dentro de nós. Jonas mora debaixo da nossa pele. O coração de Jonas bate em nosso próprio peito. O sangue de Jonas corre em nossas próprias veias. Sentimos compaixão por aqueles a quem Deus ama? Temos disposição de levar a Palavra para aqueles por quem Cristo morreu? O nosso coração se quebranta pelas mesmas causas que tocam o coração de Deus?

Warren Wiersbe, nesse mesmo viés, diz que o mais importante não é como Jonas respondeu à pergunta de Deus, mas sim como você e eu estamos respondendo a essa pergunta nos dias atuais. Concordamos com Deus que as pessoas sem Cristo estão perdidas? Como Deus, temos compaixão pelos perdidos? Nós nos preocupamos com os que vivem em nossas grandes cidades, onde há tanto pecado e tão pouco testemunho? Oramos para que o evangelho alcance as pessoas de todas as partes do mundo e estamos contribuindo para isso? Nós nos regozijamos quando os pecadores se arrependem e crêem no Salvador? Não podemos responder por Jonas, mas podemos responder por nós.[159]

O amor de Deus é pelo mundo inteiro. Dionísio Pape afirma que Deus sabe amar os piores homens com perfeito amor, até o ponto de dar o Seu único Filho para salvá-los.[160] Jesus disse: "Porque Deus amou o mundo de tal maneira que deu o seu Filho unigênito, para que todo aquele que nele crê não pereça, mas tenha a vida eterna" (Jo 3.16). Cristo morreu para salvar os que procedem de toda raça, povo, língua e nação (Ap 5.9). O plano de Deus é que a Igreja toda leve o Evangelho todo, a todos os povos, de todos os lugares e todos os tempos.

Nínive era uma grande cidade, muito importante para Deus, que demonstrou uma especial e profunda compaixão pelas 120 mil pessoas que ainda não tinham nenhum discernimento. O cuidado de Deus estende-se até mesmo para os animais. Dionísio Pape diz que a lição é clara. Quem ama, deve amar toda a criação de Deus: os homens, as plantas e os animais. Deus ama o mundo. Para nós sermos porta-vozes do evangelho de Jesus Cristo é preciso aprender a amar.[161]

Concluímos essa exposição afirmando eloqüentemente que o livro de Jonas é missiológico. Nele e dele transborda o amor de Deus pelas nações gentílicas. Jonas, no Antigo Testamento, é o conhecido versículo de João 3.16 do Novo Testamento. Charles Feinberg acentua que é aqui que se encontra a chave do livro de Jonas. No livro de Jonas está a chave do coração das missões. É o maior livro missionário do Antigo Testamento, se não de toda a Bíblia. Foi escrito para revelar o coração de um profeta não tocado pela paixão divina pelas missões.[162] George Robinson enfatiza que o livro de Jonas prefigura a pregação do evangelho sobre toda a terra.[163]

J. Sidlow Baxter corretamente ensina que nada nos é dito sem uma finalidade. Tudo tem um objetivo moral e divino. O livro de Jonas não foi escrito apenas para nos contar a história de Jonas como um fim em si mesma. Absolutamente não! A história desse homem e de Nínive nos é narrada por causa daquilo que nos revela a respeito de Deus. Eis a razão vital por que foi escrita. Uma vez cumprido esse propósito, o escritor contenta-se em pousar a pena. Ele não pretende acrescentar nada mais, apenas com o intuito de despertar nosso interesse. O Espírito inspirador o orienta, e o Espírito lhe diz onde parar, assim como lhe diz o que escrever.[164]

NOTAS DO CAPÍTULO 6

[137] BAXTER, J. Sidlow. *Examinai as Escrituras: Ezequiel a Malaquias.* 1995: p. 201.
[138] ALVES, Oswaldo. *O profeta Jonas e você.* 1994: p. 67.
[139] COELHO FILHO, Isaltino Gomes. *Jonas, nosso contemporâneo.* 1992: p. 51.
[140] WIERSBE, Warren W. *Comentário bíblico expositivo.* Vol. 4. 2006: p. 478.
[141] WIERSBE, Warren W. *Comentário bíblico expositivo.* Vol. 4. 2006: p. 478.
[142] WOLFENDALE, James. *The preacher's complete homiletic commentary on Jonah.* Vol. 20. 1996: p. 384.
[143] ALEXANDER, T. Desmond et all. *Obadias, Jonas, Miquéias, Naum,*

Habacuque e Sofonias. 2006: p. 144.
[144] COELHO FILHO, Isaltino Gomes. *Jonas, nosso contemporâneo.* 1992: p. 53.
[145] ALEXANDER, T. Desmond et all. *Obadias, Jonas, Miquéias, Naum, Habacuque e Sofonias.* 2006: p. 145.
[146] WIERSBE, Warren W. *Comentário bíblico expositivo.* Vol. 4. 2006: p. 478.
[147] FEINBERG, Charles L. *Os profetas menores.* 1988: p. 148.
[148] KEIL, F. C. e DELITZSCH, F. *Commentary on the Old Testament.* Vol. X. 1978: p. 411.
[149] ALEXANDER, T. Desmond et all. *Obadias, Jonas, Miquéias, Naum, Habacuque e Sofonias.* 2006: p. 146.
[150] FEINBERG, Charles L. *Os profetas menores.* 1988: p. 148.
[151] CRABTREE, A. R. *Profetas menores.* Casa Publicadora Batista. Rio de Janeiro, RJ. 1971: p. 116.
[152] FEINBERG, Charles L. *Os profetas menores.* 1988: p. 149.
[153] BAXTER, J. Sidlow. *Examinai as Escrituras: Ezequiel a Malaquias.* 1995: p. 203.
[154] CRABTREE, A. R. *Profetas menores.* 1971: p. 117.
[155] COELHO FILHO, Isaltino Gomes. *Jonas, nosso contemporâneo.* 1992: p. 52.
[156] WIERSBE, Warren W. *Comentário bíblico expositivo.* Vol. 4. 2006: p. 479,480.
[157] COELHO FILHO, Isaltino Gomes. *Jonas, nosso contemporâneo.* 1992: p. 59.
[158] BAXTER, J. Sidlow. *Examinai as Escrituras: Ezequiel a Malaquias.* 1995: p. 203,204.
[159] WIERSBE, Warren W. *Comentário bíblico expositivo.* Vol. 4. 2006: p. 480.
[160] PAPE, Dionísio. *Justiça e esperança para hoje.* 1983; p. 63.
[161] PAPE, Dionísio. *Justiça e esperança para hoje.* 1983: p. 63.
[162] FEINBERG, Charles L. *Os profetas menores.* 1988: p. 151.
[163] ROBINSON, George L. *Los doce profetas menores.* Casa Bautista de Publicaciones. El Passo, TX. 1984: p. 76.
[164] BAXTER, J. Sidlow. *Examinai as Escrituras: Ezequiel a Malaquias.* 1995: p. 204.